D1131128

rwący nurt historii

Ryszard
Kapuściński

rwący nurt historii

zapiski o XX i XXI wieku

wybór i wstęp
Krystyna Strączek

zdjęcia
Ryszard Kapuściński

Wydawnictwo Znak
Kraków 2007

Projekt okładki
Daniel Malak

Fot. na 1. str. okładki
Ryszard Kapuściński

Fot. na 4. str. okładki
Daniel Malak

Koncepcja wyboru zdjęć
Izabela Wojciechowska

Bibliografia
Mariusz Gądek

Opieka redakcyjna
Magdalena Sanetra

Adiustacja
Beata Trebel-Bednarz

Korekta
Barbara Gąsiorowska
Kamila Zimnicka-Warchoł

Łamanie
Piotr Poniedziałek

Wydanie w porozumieniu z Agencją Literacką Puenta

ISBN 978-83-240-0821-6

Zamówienia: Dział Handlowy, 30-105 Kraków, ul. Kościuszki 37
Bezpłatna infolinia: 0800-130-082
Zapraszamy do naszej księgarni internetowej: www.znak.com.pl

Wstęp

Kiedy w 2003 roku powstawał *Autoportret reportera*, z żalem odkładałam na bok wywiady o Afryce, Rosji, historii czy globalizacji. Wtedy tematycznie odbiegały od meritum. Wyłaniała się z nich zaś opowieść o historii dwudziestego i dwudziestego pierwszego wieku, którą snuł naoczny świadek wielkich wstrząsów, jakie przeżyła ludzkość w ciągu sześciu ostatnich dekad.

Teksty te pokazują Ryszarda Kapuścińskiego nie tylko jako reportera i pisarza, ujawniają one także jego budzącą podziw wiedzę fachową (przecież z wykształcenia był historykiem) o dziejach i kulturze regionów, do których podróżował. To, co w jego książkach stanowi fundament – solidny, lecz niewidoczny – w wywiadach i wykładach płynie szerokim strumieniem: komentarze polityczno-społeczne, nazwiska, daty, dane statystyczne. Ale nie jest to li tylko erudycyjny popis. Kapuściński przywołuje fakty po to, by je zinterpretować, wskazać paralele historyczne i kulturowe, by prognozować. A wszystko w sposób przystępny i zajmujący, bo autor *Wojny futbolowej* doskonale zna sztukę podtrzymywania zainteresowania czytelnika. Jest więc Ryszard Kapuściński kronikarzem współczesności, który trzyma zawsze rękę na pulsie historii (tej historii, jak ją nazywał – „tworzącej się", historii „w działaniu"). Ale okazuje się również historiozofem, gdyż szuka sensu dziejów. Próbuje zrozumieć, dlaczego świat, w którym żyje, jest właśnie taki, jaki jest.

Mniej więcej dwa lata po ukazaniu się *Autoportretu...* zaczęliśmy rozmawiać o nowej książce. Praca nad nią okazała się jednak trudniejsza, niż początkowo sądziłam. Mimo pozornej obfitości dostępnego materiału wyłoniły się białe plamy. Miałam w ręku nadmiar wnikliwych uwag o Rosji (w końcu to nasz dawny ciemiężyciel i sąsiad, poza tym powstało *Imperium*, były więc powody, by o kraj ten pytać) i dosłownie kilka akapitów o Azji. Jeden świetny wywiad Artura Domosławskiego o Ameryce Łacińskiej i wiele rozmaitych rozmów o globalizacji powstałych przeważnie w późnych latach dziewięćdziesiątych i na początku nowego wieku. Sądziłam, że wynika to ze specyfiki zainteresowań polskich dziennikarzy, ale myliłam się. „Międzynarodowa" kwerenda, jaką przeprowadziła w archiwum Autora pani Bożena Dudko (której w tym miejscu dziękuję), umożliwiła wprawdzie ułożenie rozdziału o Ameryce Łacińskiej, ale już niekoniecznie o Azji. W końcu i tak okazało się, iż najlepsze – czyli te specjalistyczne, najwnikliwsze – spośród wszystkich odnalezionych przez nas rozmów zostały przeprowadzone w ogromnej większości przez Polaków. Znana powszechnie zależność, że im lepiej przygotowany pytający, tym więcej odpowiadający daje z siebie, potwierdziła się i tym razem. Zresztą dziennikarskich próśb w stylu: „Proszę powiedzieć coś o świecie", Kapuściński nie znosił i w takich razach często z premedytacją odpowiadał zdawkowo.

Jesienią ubiegłego roku Autor przeczytał osiem z dziewięciu zaplanowanych części *Rwącego nurtu historii* (brakowało jeszcze *Ameryki Łacińskiej*). Zaaprobował zarówno każdą z osobna, jak i układ całości. Nie był jednak do końca zadowolony z rozdziału o islamie, problemem też pozostawał ewentualny odrębny rozdział o Azji – choć sporo uwag o tym kontynencie rozsianych jest w kilku miejscach w książce. Zamierzaliśmy nagrać uzupełniającą rozmowę specjalnie na użytek niniejszego tomu. Śmierć pokrzyżowała jednak te plany. Niestety Ryszard Kapuściński nie poznał również części latynoamerykańskiej, która ostateczny kształt uzyskała dwa tygodnie przed jego odejściem. Ufam jednak, że otrzymałaby *imprimatur*.

Krystyna Strączek

Historia, pamięć, zapis

Zacznijmy od tego, że większość swego życia zawodowego poświęciłem obserwacji stawania się historii drugiej połowy dwudziestego wieku. I to stawanie się historii, narodziny Trzeciego Świata i w ogóle narodziny nowego świata, szalenie mnie pasjonowało. Zdawałem sobie sprawę z tego, że przestaje istnieć mapa starego świata i powstaje na moich oczach mapa nowego. Byłem więc świadkiem rzeczy niezwykłych i zacząłem się fascynować zarysami tej nowej mapy.

I oto okazało się, że w połowie wieku dwudziestego świat pełen jest różnych anachronicznych form ustrojowych, i ich przemiana w formy nowe to właśnie to, co mnie najbardziej interesuje. Byłem świadom tego, że tak jak przeżywa się formuła państwa narodowego, stworzona w dziewiętnastym wieku, tak przeżywa się formuła państwa imperialnego. Wchodząc w dwudziesty pierwszy wiek, jesteśmy świadkami narodzin zupełnie nowej koncepcji państwowej, nowego systemu politycznego. [21]*

Być może nawet dojdzie do tego, że będzie powstawał świat regionów. A mnie fascynuje to, w jaki sposób

---

* Numery w klamrach odsyłają do bibliografii zamieszczonej na końcu książki.

dokonuje się degradacja i rozpad tych starych struktur, związanych z poprzednią epoką świata, i jaka będzie nowa konfiguracja. Dlaczego zainteresowałem się akurat Etiopią, Iranem czy ZSRR? Otóż byłem świadkiem wydarzeń w tych krajach. Te rewolucje interesowały wszystkich. A ja, pracując dla różnych agencji czy redakcji, mogłem odpowiedzieć niejako na zamówienie społeczne. Opisywałem to, co widziałem. [21]

Kiedy kończyłem studia, musiałem wybierać pomiędzy pracą badawczą, przyszłą profesurą a dociekaniem historii w chwili, kiedy ona się staje, czyli dziennikarstwem. Wybrałem tę drugą drogę. Każdy dziennikarz jest historykiem. Jego praca to badanie, dociekanie, opisywanie historii w chwili, kiedy ona się tworzy. Wiedza i intuicja historyka to fundamentalne rekwizyty każdego dziennikarza.

Dobre i złe dziennikarstwo można odróżnić łatwo – w dobrym dziennikarstwie oprócz opisu wydarzenia znajdziecie również wytłumaczenie jego przyczyn. W złym dziennikarstwie istnieje sam opis, bez żadnych związków czy odniesień do kontekstu historycznego – relacja z nagiego wydarzenia, z której nie dowiadujemy się ani o jego przyczynach, ani o tym, co je poprzedziło. [22]

Francuski historyk Fernand Braudel stworzył teorię, która głosi, że proces historyczny przypomina rzekę. To, co jest na powierzchni rzeki, płynie bardzo szybko. To zaś, co jest w jej głębokim nurcie, porusza się wolno. Szybko biegną wydarzenia. Jednak przy ogromnym przyspieszeniu obserwujemy dużą stabilność starych struktur, starych sposobów myślenia. Te zmieniają się znacznie, znacznie wolniej. Często, zafascynowani przebiegiem wydarzeń, zmianami na górze, nie zauważamy, że na dole, jak się toczyło życie, tak się toczy. Instytucje te same, sposób myślenia ludzi ten sam, nawyki te same, tradycja ta sama.

Myślę, że na tym polega dziś wielkie rozszczepienie świata. Przepaść między pędzącymi wydarzeniami, rozwojem idei, świadomością elit z jednej a siłą bezwładu instytucji i nawykami ludzi z drugiej strony staje się jednym z głównych dylematów naszych czasów. [66]

Żyjemy dziś w świecie, w którym nic nie jest dane raz na zawsze. Musimy stale czynić wysiłek odnowy, stale wszystko renegocjować, poruszając się wśród nieskończonej ilości zmiennych i niewiadomych. Materia świata bywa niepewna i krucha, a jego duch skryty i nieprzewidywalny. [36]

Rzeczywistość bardzo się poszatkowała, podziesiątkowała i w opisywaniu jej stosunkowo najłatwiejszą rzeczą jest dziś krótka informacja prasowa albo krótkie ujęcie telewizyjne. Jednocześnie jednak w człowieku istnieje i zawsze będzie istniała chęć syntetyzowania i pragnienie uchwycenia jakichś ogólnych praw rządzących wydarzeniami. Człowiek zawsze pragnie zajrzeć w przyszłość i zadaje sobie pytanie: „co będzie?", ale po to żeby na nie odpowiedzieć, czy nawet próbować odpowiedzieć, musimy dotrzeć do tych ogólnych praw. To jest trudność, jaką napotyka każdy, kto chce pisać o współczesności. [54]

Zastanawiałem się, jak dalece nasz warsztat jest w stanie odzwierciedlić ten gwałtowny nurt historii, który toczy się i zmienia wszystko. Na ile my sami, będąc w tym strumieniu, jesteśmy w stanie objąć cały ten ruch. I na ile potrafimy zdobyć się na syntezę. [54]

Obracamy się w świecie różnych kultur, różnych tradycji, które oferują najzupełniej różny towar. Z jednej strony mamy społeczeństwa, w których dominują kultury oralne: a więc społeczeństwa Afryki, Ameryki Łacińskiej czy Azji, gdzie rzeczywiście przeważa ten przekaz wartości. I jest drugi typ społeczeństw, które są bardzo obciążone ładunkiem myślenia historycznego. Nasze społeczeństwo takie jest właśnie, w ogóle społeczeństwa Europy. Historia jest dużą częścią naszej kultury, ogólnie mówiąc: myślenie historyczne, symbolika pamięci historycznej, poczucie trwania w czasie. I jest jeszcze trzecia grupa społeczeństw. To są społeczeństwa nowe, białe, których korzenie są emigracyjne, ze stosunkowo niedługą historią własną: Stany Zjednoczone, Kanada, Australia i inne, drobniejsze. One mają niewiele ponad dwieście lat. Nie są obciążone historią, w związku z czym ich świat jest zwrócony w przyszłość. Można by powiedzieć, że ich przeszłością jest ich przyszłość.

Ale i to się zmienia. Spójrzmy na wszystko to, co działo się w Stanach po 11 września. To był klasyczny przykład budowania własnej tradycji, nobilitacja patriotyzmu, konstruowania tożsamości wokół symbolicznych znaków, takich jak flaga czy hymn. Te nowe społeczeństwa wyraźnie odczuwają potrzebę budowania tożsamości narodowej, której nie mogą czerpać z przeszłości, bo zwyczajnie jej nie mają. Brak im choćby takiej bitwy pod Grunwaldem czy zdarzenia o podobnym znaczeniu. A więc muszą tę „przeszłość" doraźnie budować. Nie powiedziałbym, że to źle. W ogóle idea hierarchizowania kultur jest mi obca. To społeczeństwo takie jest, bo taką a nie inną miało historię, i po prostu trzeba to przyjąć. [48]

Tkwimy w sytuacji pełnej sprzeczności. Z jednej strony, mamy skłonność do zapominania o przeszłości. Czasami dobrze jest zapomnieć przeszłość. Czasem przeszłość bywa tak okrutna, że podświadomy mechanizm obronny stara się odsunąć w niepamięć urazy, niedobre doświadczenia, bo tam gdzie doświadczenia są złe, ludzie nie są w stanie żyć, nie są w stanie budować przyszłości. To jedna strona. A z drugiej – istnieje tendencja ku odcinaniu nas od przeszłości. Jest ona bardzo niebezpieczna. Społeczeństwo nie może żyć bez świadomości, pamięci historycznej. Społeczeństwo, które jest wykorzenione ze swej historii, nie może istnieć.

Historia jest więc bardzo ważna, bo daje nam poczucie identyfikacji, rodzaj pewnej orientacji. Z tego punktu widzenia poczucie, że przynależymy do jakiejś szczególnej historii, jest czymś niezbędnym dla naszego istnienia. Ale w niektórych społeczeństwach, mających za sobą straszną przeszłość, ludzie starają się o niej zapomnieć. [51]

Coraz bardziej prawdziwy jest tytuł książki Lowenthala *The Past Is a Foreign Country* – „Przeszłość jest obcym krajem"; widzimy ją jako coś obcego. Tak jak musimy przejść przez reformy w różnych krajach i musimy się uczyć ryzyka, tak samo musimy się uczyć języka przeszłości.

Pewien niemiecki intelektualista, który odważył się pójść we wschodnim Berlinie do siedziby jednej z organizacji neonazistowskich, zwrócił mi uwagę na ciekawą rzecz. Bo przeżył szok: stwierdził, że ma do czynienia z młodymi ludźmi, którzy nie mają żadnej świadomości historycznej. Tacy prości chłopcy z przedmieść Berlina, po jakiejś szkole, którzy w ogóle nie kojarzyli, kim byli naziści. Nigdy nie słyszeli o wojnie, o Auschwitz i Treblince.

Życie w teraźniejszości wynika z kryzysu naszej wyobraźni i granic pojemności naszego umysłu. Dawniej wiedza była wiedzą własnej historii. Dziś jesteśmy atakowani przez taką masę informacji, że sięgnięcie do tego, co było wczoraj, czy zaglądanie do tego, co będzie jutro, jest właściwością wyjątkowych jednostek. Przeciętny umysł jest zbyt zmęczony, by wszystko przetrawić. Wobec tego wybiera tylko to, co mu się bezpośrednio podsuwa. Na dziś. [39]

Świat współczesny, w którym dokonuje się proces globalizacji, jest niezwykle złożony, trudny do zdefiniowania. Dokonuje się w nim bardzo gwałtowna, szybka przemiana na wielu płaszczyznach. Wydarzenia nawet z niedawnej historii coraz częściej stają się tak odległe jak te, o których mówi nam archeologia – jak gdyby przechodziły w inny wymiar czasu historycznego. Prognoza na dziesięć lat obarczona jest bardzo dużym ryzykiem błędu, a tego, co się wydarzy za pięćdziesiąt lat, nikt nie jest w stanie przewidzieć. [34]

Na przełomie listopada i grudnia 1991 roku byłem w Stanach. W księgarniach na półkach nowości znalazłem kilkanaście pozycji dziennikarzy amerykańskich na temat przyszłości ZSRR, roli Gorbaczowa w nowym ZSRR, szans jego reform. Miesiąc później nie było już ani ZSRR, ani Gorbaczowa i wszystkie książki nadawały się na makulaturę. One były makulaturą już w momencie ukazania się! Pisanie tego typu literatury jest z góry skazane na niepowodzenie i wynika z nieuświadomienia sobie, że nie nadążymy za procesem historycznym, jeśli ograniczymy się tylko do warstwy czysto wydarzeniowej. [54]

Herodot już w pierwszym zdaniu *Dziejów* stawia fundamentalne pytanie, chce dojść, jakie były przyczyny wojny, pasjonuje go, dlaczego oni ze sobą walczyli. Kiedy pisze swoje *Historie* (grecki tytuł *Dziejów*), czyli dociekania, jest już po walce, po wojnie, ale pozostaje ona ciągle w pamięci ludzi. To tak, jakby ktoś dzisiaj pisał historię drugiej wojny światowej. Herodot szuka świadków, szuka dokumentów, znaków, śladów. [55]

Przypomnijmy sobie tę początkową inwokację, którą rozpoczyna się jego książka: przedstawiam wyniki moich dociekań, których dokonałem po to, aby nie zatarły się w pamięci ludzkiej czyny, które zostały dokonane. On walczy z tym problemem, jakim jest zacieranie się pamięci, już wtedy z tym się styka. Przyjechał, powiedzmy, do Teb. I każdy mówi co innego na temat jakiegoś zdarzenia z przeszłości. A on na to, że zobowiązany jest przedstawić jego różne wersje. Jego zadaniem jest wiernie rzecz przedstawić. Czuje się w obowiązku, by relacjonować obiektywnie. On pierwszy właściwie w literaturze światowej zgłasza ten problem zróżnicowania pamięci, zróżnicowania obrazu przeszłości. Ale wiemy, że ta rzeczywistość miniona ma postać ruchomych piasków. I my wszyscy brniemy w tym piaszczystym gruncie, którego nikt nie jest na sto procent pewny. [48]

Każdy z nas widzi tę samą rzeczywistość inaczej. Na wieczorach autorskich często się z czymś takim spotykam. Ktoś wstaje i mówi: „Panie, ja widziałem to, o czym pan pisze, ale to wyglądało zupełnie inaczej...". I ja w to absolutnie wierzę. Dlatego że ilu nas jest, tyle jest wersji tego samego wydarzenia. I w związku z tym nie ma obiektywnej pamięci. Nic takiego nie istnieje. Pamięć jest najbardziej zsubiektywizowanym elementem kultury.

Pamiętamy naprawdę bardzo różne rzeczy. Mam siostrę, która jest o rok ode mnie młodsza. Mieszka w Kanadzie. Wiele lat jej nie widziałem. Kiedyśmy się spotkali, myśląc o Pińsku, wziąłem magnetofon. I mówię do niej: „Basiu, co pamiętasz z naszych pińskich lat?". A dodam, że jesteśmy bardzo kochającym się rodzeństwem i jak byliśmy mali, chodziliśmy po Pińsku, zawsze trzymając się za ręce. Można by więc rzec, że myśmy widzieli dokładnie wszystko to samo. I kiedy ona zaczęła wydobywać z pamięci swoje wspomnienia, to okazało się, że są one absolutnie inne od moich. To znaczy: ona pamięta rzeczy, których ja w ogóle nie pamiętam. I odwrotnie. Widać więc, jak ta indywidualizacja pamięci jest silna. W związku z tym zawsze używam formuły: „według mnie, tak było". I nigdy nie mogę powiedzieć, że moje widzenie jest jedynie prawdziwe. [48]

Dla mnie kluczem do takich sytuacji, do takich problemów jest francuskie *approximation*. Inaczej mówiąc, że ten obiektywizm jest możliwy jedynie w przybliżeniu. To przybliżenie oznacza, że mamy pewne ideały; że je przyjmujemy, że je jakoś zakładamy. Chciałbym napisać książkę idealną. Ale wszystko, co mogę zrobić, to najwyżej przybliżyć się do tego teoretycznego ideału, jaki sobie założyłem. Podobnie jest w nauce, w naukach humanistycznych. To wszystko są przybliżenia. Ważny jest stopień, do jakiego uda się nam przybliżyć do tego zbiorowo pomyślanego ideału. Jedni bardzo się do niego przybliżą, inni w ogóle tego nie osiągną. Historyk, który zakłada, że napisze obiektywną książkę o bitwie pod Grunwaldem, też zakłada sobie jakiś poznawczy ideał. I to, w jakim stopniu go osiągnie, będzie miarą wartości jego pracy. Nie możemy osiągnąć absolutu, bo to niemożliwe, miarą oceny naszego wysiłku jest stopień przybliżenia do tego absolutu. [48]

Coraz więcej z nas, z naszego wnętrza, jest wyjmowane i delegowane do rozmaitych instytucji. Idzie mi właśnie o cały ten proces instytucjonalizacji, biurokratyzacji pamięci. Tworzy się rozmaite instytucje – u nas choćby Instytut Pamięci Narodowej – zajmujące się organizacją tej naszej pamięci. I wzrasta w nas takie przekonanie, że „oni" się tym zajmą. „Oni" mają swoje archiwa, a człowiek, jak mówiłem, pozbywa się własnej, indywidualnej pamięci i odsyła ją do anonimowej instytucji.

A mnie chodzi o tę pamięć osobną, różnicującą nas. Pamięć, którą rozwijamy w czasie i poprzez którą budujemy siebie, tworzymy własną tożsamość i osobowość.

Bo tym się, między innymi, różnimy, że mamy różne pamięci, że każdy z nas pamięta różne rzeczy i wartości, że przywiązuje się do pewnych etapów pamięci czy rodzajów pamięci. Mnie chodzi o to, że powiedzenie, iż żyjemy w czasach pamięci, może być najwyżej oznaką, że żyjemy w czasach coraz bardziej zinstytucjonalizowanej pamięci, a coraz mniej w czasach pamięci jako wartości osobowej, jako wartości prywatnej. [48]

W kwestii pamięci mam taką tezę. Zapytajmy: kiedy zaczyna się człowiek? Nie w znaczeniu biologicznym, ale kiedy zaczyna się człowiek jako istota ludzka? Moim zdaniem, zaczyna się od tego pierwszego wspomnienia, do jakiego możemy sięgnąć wstecz. Szukamy we własnym życiu, mówiąc: „jeszcze to, jeszcze to i jeszcze to pamiętam", i tak idziemy do pierwszego wspomnienia, tak że dalej już nic nie ma, niczego wcześniejszego już nie pamiętamy. Od tego właśnie momentu zaczyna się człowiek, zaczynam się „ja" jako człowiek, zaczyna się moja tożsamość i mój indywidualny, bardzo prywatny życiorys, moje prywatne życie. Mam zwyczaj pytać ludzi: „jakie jest pierwsze wspomnienie twojego życia?". I przy tej okazji dwie rzeczy wychodzą na jaw.

Pierwsza rzecz to odkrycie, że mało ludzi o tym myśli. Że dopiero wtedy zaczynają sobie mozolnie przypominać. Ludzie generalnie się nad tym nie zastanawiają, muszą dopiero dogrzebywać się tego pierwszego wspomnienia. I nie od razu potrafią dać odpowiedź na to pytanie. A druga rzecz dotyczy charakteru tych wspomnień. Pytałem o to setki ludzi i, co jest bardzo ciekawe, każdy ma inne wspomnienie. Jedno jest związane z kotem, drugie związane z pożarem, inne z tym, że babcia kupiła jakiegoś cukierka. Te wspomnienia są bardzo różne. I to jest jeden z dowodów na zróżnicowanie człowieka. To pierwsze wspomnienie już nas wszystkich bardzo różnicuje. [48]

Moim zdaniem, są trzy zagrożenia pamięci. Pierwsze – to ogromny rozwój mechanicznych nośników pamięci, co oznacza, że człowiek stopniowo oducza się sztuki pamięci. Oducza się, bo sztuka pamięci to jest rzecz, którą trzeba opanować, trzeba się uczyć pamięci. Obecnie wszystko przekierowuje się do komputera, do książki, do płyty, do encyklopedii. Nie musimy się już – jak niedawno jeszcze – uczyć na pamięć, nie musimy ćwiczyć pamięci, bo wszystko mamy zapisane na różnego rodzaju nośnikach. Pamięć jak gdyby wyrzucamy z naszych głów, odsyłamy ją do mechanicznych nośników pamięci. Tymczasem pamięć jest esencjonalną cząstką ludzkiej świadomości, tego, co Platon nazywał duszą. I to pozbycie się sztuki pamięci jest bardzo poważnym zagrożeniem dla osobowości ludzkiej. To nie jest tylko problem czysto mechaniczny. To coś więcej: dotyczy sprawności i zdolności myślenia człowieka, poczucia bycia sobą, naszej tożsamości. To zagrożenie się nasila. W miarę rozwoju Sieci, komputeryzacji, elektronizacji życia będziemy coraz bardziej kalekami pamięci.

Drugim zagrożeniem dla pamięci jest, moim zdaniem, nadmiar danych. To po prostu nadobfitość danych, jak powiadają Anglosasi: *victory of abundancy.* Świadomość ludzka zalana jest taką ilością informacji, że nie jest już w stanie tego opanować. I po prostu ten nadmiar działa jak lawina. Jest to ciężar, który uniemożliwia życie, wytwarza permanentne przemęczenie. Ilość istniejącej informacji przekracza wielokrotnie pojemność przeciętnego umysłu ludzkiego.

Trzecim zagrożeniem pamięci jest ogromne przyspieszenie procesów historycznych. To znaczy: historia toczyła się dawniej powoli. Powiedzmy, trzysta lat się nic nie działo, dwieście lat się nic nie działo – i umysł ludzki był przystosowany do tamtego tempa. Mógł sobie przyswajać momenty historyczne, momenty własnego życia. Historia działała na niego stabilizująco. Żył właściwie w stałym środowisku, które mógł opanować i które mógł objąć pamięcią. Teraz, na skutek potwornego przyspieszenia, z jednej strony czasowego, z drugiej strony przestrzennego, straciliśmy poczucie stabilizacji i zadomowienia w świecie. [48]

Relacja między człowiekiem a jego miejscem na ziemi nabiera szczególnej wagi dziś, kiedy tak bardzo zachwiane zostały kryteria i normy tożsamości. Skąd pochodzimy? Kim jesteśmy? Do kogo możemy się odwołać? Wielu ludzi z trudem znajduje odpowiedź na te pytania. Tymczasem człowiek o zachwianym poczuciu tożsamości to człowiek osłabiony, zagubiony w labiryncie współczesnego świata. A świat ten, przez swoją rosnącą złożoność, rosnące tempo, rosnącą niepewność, jeszcze bardziej pogłębia nękającą ludzi dezorientację i osamotnienie. [36]

Myślę, że każdy z nas ma w sobie wiele tożsamości. Wszyscy jesteśmy związani ze swoim miejscem urodzenia, czujemy jakiś sentyment do domu dzieciństwa – tej tożsamości nigdy się nie traci. Ja sam jestem z Polesia, z Pińska. Ostatnio byłem we Wrocławiu. Działa tam koło Poleszuków. Spotykamy się, mimo że minęło pięćdziesiąt czy sześćdziesiąt lat, odkąd wyjechaliśmy z Polesia. Na innym poziomie istnieje w nas oczywiście tożsamość narodowa. A jeżeli wyjeżdżamy poza Europę, odkrywamy, że jesteśmy Europejczykami. Kiedy wracam z Afryki i samolot ląduje w Madrycie, ogarnia mnie uczucie, że już jestem w domu. To nasza trzecia tożsamość. Coraz bardziej wyrabiamy też w sobie świadomość przynależności do rodziny ludzkiej, do świata. To jest w tej chwili nasza najsłabsza tożsamość – niejako tożsamość *in spe* – ale w przyszłości wszyscy będziemy zmierzać w jej kierunku.

Nie widzę w tym wszystkim sprzeczności. Posiadając bardzo różne tożsamości, objawiające się zależnie od sytuacji i momentu życia – człowiek pozostaje jednością. [37]

Ludzie często nie są świadomi, że w epoce, w której żyjemy, na nasz los wpływa nie każdy z tych światów osobno, ale oddziałują nań jednocześnie owe cztery światy łącznie. Niezrozumienie tego podstawowego dziś prawa jest przyczyną zabłąkania i frustracji wielu z naszych współczesnych. [36]

Pamięć jest niezbędnym składnikiem małej ojczyzny. Pozwala nam zachować ją we wspomnieniu, nawet jeżeli utracimy z nią kontakt bezpośredni. Tak długo jak żyjemy i gdziekolwiek jesteśmy, pozostaje ona cząstką naszej tożsamości, naszym znakiem identyfikacyjnym. Ma to szczególną wartość dziś, bowiem dla wielu ludzi ich miasto, ich region, ich mała ojczyzna stanowią tarczę, niszę, pożądaną osłonę przeciw gwałtownym postępom niwelującej wszystko globalizacji, jako że ludziom potrzebna jest świadomość, iż mogą mieć na coś wpływ, a tego przekonania pozbawiają ich gigantyczne, przytłaczające siły uniformizacji.

Kiedyś człowiek żył w małych grupach. Wykopaliska archeologiczne wskazują, że były to komuny liczące od trzydziestu do pięćdziesięciu członków. Istniały one osobno, oddzielone niezmierzonymi przestrzeniami. Często gromady te nigdy się nie spotykały i można było spędzić życie w swoim klanie w przekonaniu, że zna się wszystkich ludzi na świecie, a także i cały świat, bo kończył się on na granicy, do której sięgał wzrok człowieka. Od tego czasu postęp oznaczał – i dalej oznacza – coraz większe uwikłania człowieka w złożoną sieć powiązań i zależności, których tajników nie jest on nawet w stanie przeniknąć. [36]

Granica małej ojczyzny przebiega tam, gdzie znajdują się najdalej położone groby naszych przodków i bliskich. Groby, kopce, kurhany. One nas strzegą. Są łącznikami między nami a tym jedynym skrawkiem planety, który, zgodnie z obyczajem wszystkich kultur świata, możemy uważać za swój. Wszędzie poza nim jesteśmy imigrantami, obcymi, nawet – intruzami.

Ale małe ojczyzny, które często są dla nas synonimem arkadii, ucieleśnieniem raju, mogą nagle przemienić się w krwawe pole, w rozszalałe piekło. Wówczas wrogość nigdzie nie będzie straszniejsza, okrucieństwo – bardziej przerażające. A pytanie, co wniesiemy do kultury, jak ją będziemy rozwijać i wzbogacać, zastąpi inne – z góry nastawione na rezygnację i odwrót – jak się bronić. Rezygnujemy z planów i marzeń, a myślimy tylko, jak się okopać, zaryglować drzwi, zatrzasnąć wieko. [29]

We wszystkich wojnach domowych, które zwykle toczą się bez wyraźnych linii frontowych i stałych granic, w których pole walki jest wszędzie i nigdzie, a tajemnicze, jednakowo ubrane oddziały przesuwają się chyłkiem pod osłoną nocy i tylko po krwawych śladach i zwęglonych domach poznajemy, że ktoś tu był i brał odwet, niczego pewnego nie można potem ustalić. Kto zabił? Kogo zabili? Jak to było? Kto to widział? Co mówili? W jakim języku? Jak wyglądali? Gdzie uciekli? Pytania bez odpowiedzi. Bo to jest właśnie to, co pozostaje – pytania bez odpowiedzi. [29]

To jedna z tych zagadek człowieka, których filozofia od trzech tysięcy lat nie może rozwiązać. I nie rozwiąże. Wszystko w nas jest przemieszane. W zależności od momentu historycznego, od okoliczności, od środowiska, panującej ideologii będziemy tacy albo inni. Potencjalnie w jednostce ludzkiej zawarte są wszystkie możliwości, a od różnych okoliczności będzie zależało, jacy będziemy. Poza tym – to banalne stwierdzenie – inni jesteśmy jako jednostki, a inni jako członkowie społeczeństwa. Jako jednostki jesteśmy mądrzejsi, o wiele głupsi i bardziej niebezpieczni jako tłum. Ale ciągle przy tym jesteśmy tymi samymi ludźmi. Mądrzy ludzie, kiedy się zbiorą do gromady, mogą działać głupio. I dobrzy ludzie, kiedy się zbiorą do gromady, mogą działać okrutnie. W człowieku jest wszystko i wtedy, u Greków, było tak samo. Na to, co z nas wydobędą okoliczności, nie mamy wpływu. To mojra decyduje, jesteśmy jej ślepymi instrumentami. [55]

Im więcej przestrzeni historia zagarnia dla siebie, tym mniej jej zostaje dla jednostki. Ta swoista anonimowość jest dla Trzeciego Świata codziennością. Miliony umierają z głodu, lecz nie potrafimy wymienić choćby jednego nazwiska – śledzimy jedynie tę tragedię, obserwujemy masową, anonimową śmierć. [31]

Kryzys dotyka tak istotnych dla ogółu spraw, że nikt już nie zwraca uwagi na pojedynczego człowieka. Historia jest – i zawsze była – ważniejsza niż jednostka. Historia jest nadrzędna, ale nie jest tworzona zgodnie z wolą człowieka. Z reguły ludzie są raczej stawiani w sytuacji, kiedy nie wiedzą, co tworzą. Oto paradoks historii.

Niedawno leżałem w warszawskim szpitalu. Dzielił ze mną salę pewien robotnik budowlany z czterdziestoletnim stażem. Otóż powiedział mi on: „Jak to możliwe, że mamy w Polsce kryzys, choć całe życie poświęciłem ciężkiej pracy w trudnych warunkach? Pracowałem bez urlopów, dniem i nocą, za niewielką pensję, a jesteśmy zadłużeni i brakuje nam mieszkań. Jak to możliwe?". Nie potrafił tego zrozumieć. Historia była dla niego nie tylko obcą siłą, lecz siłą działającą na jego niekorzyść! Mimo to jednak, na swoją niewielką skalę, ten człowiek, polski robotnik, tworzył historię własnych czasów. [32]

Wydaje mi się, że ludzie znajdują się dziś w sytuacji kontradyktoryjnej, sprzecznej. Stwierdzamy naszą bezradność, ale nie chcemy się z nią pogodzić. Gdzieś na świecie dzieją się wydarzenia, na które nie mamy wpływu, ale które decydują o naszym życiu, i buntujemy się przeciwko takiemu stanowi rzeczy. Chcielibyśmy, żeby historia odnosiła się do nas, ludzi, z większym szacunkiem. Myślę, że w tym niepogodzeniu się z byciem rządzonym przez ślepe siły i w niechęci do podporządkowania się im wyraża się godność człowieka. [54]

Każda świadomość jest historyczna i ma historyczną granicę. Była na przykład świadomość epoki wielkich katedr, a dziś nikt nie zbuduje wielkiej katedry, bo żyjemy w czasach innej świadomości.

Otóż w drugiej połowie dwudziestego wieku stworzyliśmy świat, którego nasza świadomość, historycznie skierowana na mniejsze obszary – plemienia, klanu, państwa – nie jest w stanie ogarnąć. Dzisiejszego globalnego świata człowiek nie potrafi objąć świadomością, wyobraźnią, umysłem. I ludzie najczęściej unikają podejmowania próby jego ogarnięcia. To widać dobrze w literaturze – ludzie uciekają w nisze, w prywatność, opowiadają historię rodziny, dzieciństwa, miasta. Tu się kończy horyzont ich świata. Rzeczywistość świata przekroczyła granice naszej świadomości – stąd nasza poznawcza bezradność. Próby amerykańskich myślicieli takich jak Huntington, Fukuyama czy Kagan to nic innego jak próby wyjścia z niszy i skonstruowania opisów, które pomogłyby nam świat ogarnąć i zrozumieć. [4]

Pisanie rzadko tylko, w wyjątkowych wypadkach, wpływa na ludzi i na bieg historii bezpośrednio, radykalnie i natychmiast. Oddziaływanie słowa pisanego jest raczej pośrednie, a może być nawet na pierwszy rzut oka, w pierwszej chwili, niewidoczne, nieodczuwalne. Potrzeba bowiem czasu, aby dotarło ono do świadomości odbiorcy, czasu, aby zaczęło tę świadomość formować, zmieniać i dopiero tą okrężną drogą wpływać później na nasze decyzje, postawy i czyny. [35]

Dekolonizacja i narodziny Trzeciego Świata

Porównajmy mapy świata z początku i końca dwudziestego wieku. Są to dwie zupełnie różne mapy. Na pierwszej z nich świat jest podzielony na dwie wyraźne części. Pierwsza jest zaznaczona, powiedzmy, kolorem różowym. Od razu widzimy, że tego koloru jest niewiele, że jest to niewielka grupa państw. Niewielka, ale najważniejsza. To grupa rządząca planetą, właściciele wewnętrznych i zamorskich kolonii, terytoriów podbitych i zależnych. Druga grupa – ogromna, zaznaczona jest, powiedzmy, kolorem żółtym. To wielkie obszary naszego globu zamieszkane przez ludy zależne, poddane, pozbawione własnej podmiotowości politycznej i państwowej.

Otóż jeżeli po stu latach weźmiemy dziś do ręki mapę aktualną, rejestrującą stan rzeczy u końca wieku, zobaczymy, że jej kolor jest jednolity, że na naszym globie znajduje się teraz blisko dwieście niepodległych – przynajmniej formalnie – państw. Oto ważna ewolucja, jakiej dokonała historia w naszym stuleciu: kilka miliardów naszych sióstr i braci zostało podniesionych do godności obywateli swoich suwerennych państw. Takiego wydarzenia nie było w historii ludzkości i nigdy już więcej nie będzie. [32]

Ów wielki ruch kontynentów zależnych ku wolności był zarazem niebywałym zjawiskiem cywilizacyjnym, które dało początek zupełnie nowemu, wielokulturowemu światu. Oczywiście, różnorodność kultur istniała zawsze, niezliczonych świadectw ich bogactwa i odmienności dostarczają nam od lat archeologia i etnografia, historia ustna i pisana. Ale w czasach nowożytnych dominacja kultury europejskiej była tak przygniatająca i zupełna, że inne, pozaeuropejskie kultury bądź znajdowały się w stanie uśpienia, hibernacji – jak na przykład arabska i chińska, bądź nawet zupełnego zmarginalizowania i wyłączenia – jak na przykład kultury bantu czy andyjska. [33]

Rewolucja godności i poczucia własnej wartości dokonała się szybko, ale przecież nie błyskawicznie, nie z dnia na dzień. Dlaczego więc Zachód jej nie zauważył? Ponieważ Zachód, miast interesować się tym, co dzieje się w świecie, nad którym dominował przez pięćset lat, oddał się pokusom konsumeryzmu i aby smakować je w pełni, odgrodził się i zamknął w sobie, obojętniejąc na wszystko, co leży poza jego granicami. W ten sposób nie dostrzegł, że poza nim powstał nowy świat – wczoraj podbity i pokorny, a dziś coraz bardziej niezależny, wyzywający, hardy. [33]

Dekolonizacja niemal wszędzie przebiegała wedle podobnego schematu. Po drugiej wojnie światowej na wielu terytoriach kolonialnych pojawiły się siły polityczne wysuwające hasła niepodległości. Były one najczęściej zgrupowane wokół jednolitego frontu, w którym skupiała się inteligencja, ludzie z miast, lepiej wykształceni.

Kraje kolonialne zaczynały – jedno po drugim, stopniowo – odzyskiwać niepodległość. Jedne wywalczały ją w sporach na drodze prawnej, inne – jak na przykład Algieria czy Angola – w drodze walki zbrojnej. Niekiedy dochodziło do dramatycznego rozpadu kolonii – przypadek Indii i Pakistanu. [78]

Druga wojna światowa pokazała, zwłaszcza Afryce i Azji, że państwa kolonizujące, jak Wielka Brytania czy Francja, mogą zostać pokonane. Poza tym ośrodki światowej władzy przesunęły się z Niemiec, Japonii, Wielkiej Brytanii i Francji w stronę Stanów Zjednoczonych oraz Związku Radzieckiego, czyli państw, które nigdy nie były imperiami kolonialnymi. Ta zmiana przekonała młodych nacjonalistów Trzeciego Świata, że niepodległość jest możliwa.

Walka o suwerenność przebiegała w trzech etapach. Najpierw – przede wszystkim w największych państwach azjatyckich – powstały ruchy narodowowyzwoleńcze. Indie odzyskały niepodległość w 1947, a Chiny w 1949 roku. Etap ten zakończyła konferencja w Bandungu w 1955 roku, podczas której narodziła się idea neutralizmu krajów Trzeciego Świata, zwana polityką niezaangażowania. Ta idea promowana była przez wielkie osobistości lat pięćdziesiątych: Nehru – premiera Indii, Nasera – prezydenta Egiptu, Sukarno – prezydenta Indonezji.

Etap drugi, w latach sześćdziesiątych, charakteryzował wielki optymizm. Dekolonizacja w tym okresie postępowała gwałtownie, a przyświecała jej idea niezaangażowania. W 1964 roku czternaście afrykańskich państw odzyskało niepodległość.

W trzecim etapie, trwającym od początku lat siedemdziesiątych, optymizm towarzyszący narodzinom państw zaczął powoli przygasać. [31]

Podział na trzy światy powstał w połowie naszego stulecia. Nazwa „Trzeci Świat" wzięła się z książki francuskiego demografa Alfreda Sauvy'ego. Był to podział w dużym stopniu polityczny. Najbardziej rozwinięty był świat zachodni, drugi tworzyły tak zwane kraje socjalistyczne, trzeci – pozostałe kontynenty: Azja, Afryka, Ameryka Łacińska, a jego wspólnym mianownikiem była przeszłość kolonialna i zacofanie gospodarcze. Ten świat ogłosił neutralność polityczną wobec konfliktów dwóch bloków i wysunął hasło rozwoju. W okresie powojennym trwał na świecie wielki boom gospodarczy. Pojawiły się doktryny szalenie optymistyczne, głoszące, że rozwój jest w zasięgu ręki. Amerykański ekonomista Rostow w książce *Zero Growth Theory* twierdził, że wszystkie kraje i społeczności osiągną poziom cywilizacji zachodniej. Panowało przekonanie, że zrównanie poziomów dokona się jeszcze w dwudziestym stuleciu. Na tym opierały się wszystkie plany, prognozy i szacunki organizacji międzynarodowych. Dzisiaj się już o tym zapomina, ale narodziny Trzeciego Świata w wyniku procesów dekolonizacji były zjawiskiem pozytywnym. W latach siedemdziesiątych pojawiły się raporty, które zaczęły kreślić obraz naszej planety w czarnych barwach, twierdząc, że świat znajduje się na granicy wyczerpania swoich szans rozwojowych.

Dzisiaj jesteśmy pośrodku tych dwóch skrajnych koncepcji. Dochodzimy do wyważonego i realistycznego poglądu na świat. Mamy świadomość, że ludzkość wchodzi w dwudziesty pierwszy wiek bardzo zróżnicowana. Wraz z załamaniem się w 1989 roku komunizmu jako systemu państwowego i ideologicznego pozostały tylko dwa światy: Europa Zachodnia, USA, Japonia i „azjatyckie tygrysy" oraz ogromna gama pozostałych krajów, od względnie rozwiniętych, jak Europa Środkowa, do bardzo zacofanych, jak niektóre państwa afrykańskie. Kraje nierozwinięte znajdują się w różnych stadiach niedostatku, którego nie należy mylić z głodem. Istnieje ogólnoludzkie zjawisko biedy i tego problemu nie udało się jak dotąd rozwiązać. [13]

Pierwsza faza dekolonizacji nadeszła w połowie dwudziestego wieku. Była dekolonizacją polityczną. Kraje i ludy zniewolone przez Europę zdobyły wolność, w Afryce i Azji powstały niepodległe kraje. Druga faza polegała na próbie dekolonizacji gospodarczej. Zakończyła się niepowodzeniem. Wolność polityczna nie przyniosła krajom, które zwykle określa się mianem Trzeciego Świata, wolności gospodarczej. [8]

Wielkie bloki wykorzystywały Trzeci Świat jako poligon, jako teren próbnej konfrontacji, żeby nie przeprowadzać jej na własnych terytoriach czy w Europie. To spowodowało ogromne zniszczenia, pogłębiło korupcję elit i jeszcze bardziej osłabiło postkolonialne państwa.

Z zimnej wojny wychodziły one tak osłabione, że nie były w stanie skorzystać z faktu jej zakończenia. Zimna wojna – przy wszystkich swoich negatywnych skutkach – sprawiała jednak, że i Wschód, i Zachód jakoś finansowały kraje postkolonialne. Obie strony dawały pieniądze na różne inwestycje, na pomoc ekonomiczną, projekty – po to by zyskać sobie wpływy w miejscowych elitach. Koniec zimnej wojny powoduje, że już następnego dnia świat rozwinięty traci zainteresowanie obszarami, które jeszcze wczoraj były użyteczne. Zmniejsza się radykalnie pomoc dla tych krajów, słabną kontakty z nimi... [78]

Po tym jak wiele lat przebywałem w krajach Trzeciego Świata, dochodzę do fatalistycznego wniosku, że o strukturze globu, a zwłaszcza o ekonomicznym podziale na kraje rozwinięte i nierozwinięte, zadecydowano już w osiemnastym i dziewiętnastym wieku. Choć są niewielkie wyjątki – najjaskrawszy z nich to Japonia – trudno wskazać państwo, które w dziewiętnastym wieku nie było rozwinięte, natomiast teraz należy do krajów rozwiniętych.

„Kolonializm" to nie tylko etykieta używana w celach propagandowych, ale bardzo rzeczywisty system, który stworzył i utrwalił bariery, najwyraźniej wciąż niemożliwe do przekroczenia. Tempo zmian jest niesłychanie powolne – trzeba wieków, by takie państwo poczyniło postępy. [31]

Trzeba pamiętać, że trzy czwarte dzisiejszych państw świata to właśnie kraje postkolonialne. To były w większości państwa wielonarodowe, co stało się przyczyną wielu krwawych wojen. W Nigerii na przełomie lat sześćdziesiątych i siedemdziesiątych zginęły prawie dwa miliony ludzi. W niepodległym od pół wieku Kongu-Kinszasie wojny domowe trwają niemal bez przerwy. Zginęły w nich niemal cztery miliony ludzi, o czym się prawie nie mówi. Wybrzeże Kości Słoniowej, stawiane przez lata za wzór udanej transformacji z kolonii w niepodległe państwo, przez trzydzieści lat żyło spokojnie i dostatnio. Aż trzy lata temu wybuchła w nim wojna domowa, która zburzyła prawie wszystko, co przez poprzednie lata zostało stworzone. Dziś na ruinach tych stworzonych sztucznie państw wyrasta właśnie pokolenie sprzeciwiające się zastanym i uświęconym porządkom. [8]

I tu zaczyna się jeszcze jeden problem – powrotu do białych plam. Poznawanie Trzeciego Świata zaczynało się od map, na których większość terytoriów była zamalowana białymi plamami. To były terytoria niedostępne. Dziś znów mamy powrót do takich białych plam. Są to terytoria zarządzane przez lokalne władze, które nie respektują niczego poza własną korzyścią, nie są zainteresowane większą organizacją społeczną typu państwowego. [78]

Nie potrafimy wskazać, co toruje drogę od tradycyjnie skonstruowanych historycznych czy nawet może plemiennych społeczności do tych rozwiniętych, demokratycznych, w zachodnim stylu. Nie ma takiego kraju, który by tę drogę przeszedł. Żaden nie równał się z Ameryką, czy choćby z Holendrami czy Szwajcarami. A bez podobnego rozwoju żadne ze społeczeństw nie będzie potrafiło przyjąć modernizacji jako czynnika, który zmieni jego codzienne życie.

Przeciętny obywatel Trzeciego Świata będzie raczej traktował modernizację jako zagrażającą mu siłę. Po pierwsze dlatego, że rząd, choć wie, iż modernizacja jest potrzebna całemu krajowi, skupia się na projektach niemających wiele wspólnego z życiem zwykłych ludzi – są to z reguły przedsięwzięcia służące umocnieniu lokalnej biurokratycznej władzy. Po drugie, modernizacja przychodzi pod postacią zbrojeń, a broń nader często używana była przez rząd do uciszania obywateli. [31]

Ludzkość na początku dziewiętnastego wieku liczyła zaledwie pół miliarda. Świat był wtedy również niesprawiedliwy, lecz skala była inna. Nas poraża dzisiaj ogrom, fakt, że nie sposób zaszczepić miliarda ludzi przeciw straszliwym chorobom, jakie im grożą. Nie mamy takich środków technicznych. Nigdy nie staliśmy wobec porównywalnego ogromu zjawisk nie tylko przerastających możliwości sprawiedliwego podziału, ale przerastających naszą wyobraźnię.

Nie potrafimy sobie wyobrazić, jak się żyje w biednych krajach. To są inne cywilizacje, żyjące własnym rytmem. Nie mają własnych środków, które pozwoliłyby im przejść na stronę „cywilizacji tworzenia". Tkwią w „cywilizacji przetrwania", monotonnej, takiej samej jak setki lat temu. Niedawno w Ugandzie mieszkałem w chacie, gdzie była kuchnia, która składała się – po prostu – z trzech kamieni. Potem się zastanawiałem: skąd z góry wiedziałem, że to jest właśnie kuchnia? Otóż wiedziałem to z podręcznika archeologii, w którym pokazano wykopaliska sprzed pięciu czy dziesięciu tysięcy lat. Trzeba sobie wyobrazić życie w świecie, w którym od pięciu albo dziesięciu tysięcy lat nic się nie zmieniło. Wyrwanie ich z tego stanu jest wielkim wyzwaniem dla ludzkości, dla nas wszystkich. [62]

W Trzecim Świecie rozpada się bardzo silny kiedyś ruch tak zwanych krajów niezaangażowanych, potężna polityczna siła nacisku. Interesy narodowe i państwowe poszczególnych elit i krajów tak się zróżnicowały, a często znalazły się w takiej sprzeczności, że ruch przestał istnieć. Dodatkowo podzielił Trzeci Świat selektywny mechanizm rozwoju, fakt, iż poszczególne kraje, na przykład tak zwane tygrysy azjatyckie, zaczęły się rozwijać, a dwa kraje przodujące, Chiny i Indie, znalazły pewien rodzaj równowagi. Powstała w sumie sytuacja, w której Trzeci Świat nie dysponuje w tej chwili żadną zorganizowaną siłą nacisku, żadnym mechanizmem wymuszania lepszych *terms of trade*, jest zupełnie bezbronny i bezradny. [38]

W latach sześćdziesiątych Trzeci Świat poprzez istnienie ruchu krajów niezaangażowanych próbował taktyki konfrontacji ze światem zamożnym. Nie dało to rezultatów. W tej chwili Trzeci Świat zmienia taktykę na przenikanie świata rozwiniętego za pomocą masowej i coraz bardziej rosnącej migracji, najczęściej nielegalnej. Jednak jest ona nielegalna tylko w tej chwili.

Ponieważ Europa się starzeje, jeśli będzie chciała zachować swój poziom rozwoju gospodarczego i standard życia, będzie zmuszona importować siłę roboczą z krajów Trzeciego Świata. Zachodzi wtedy proces, który już się rozpoczął – proces islamizacji Europy. W niektórych państwach – we Francji czy w Niemczech – islam jest już drugą religią. Stopniowo ten proces będzie trwał i się nasilał – to jest nieuchronne. Stopniowo Trzeci Świat będzie przenikał do krajów najbogatszych, co jest również bardzo widoczne w USA czy Kanadzie. [34]

Jeśli [przedstawiciele Trzeciego Świata] będą występować z postulatami na forum międzynarodowym, nic nie osiągną. A tak ktoś wyjedzie do Francji, Anglii czy Ameryki, potem ściągnie jednego, drugiego krewnego. Ich dzieci zaczną chodzić do szkoły, tam przyjdzie na świat ich potomstwo. Trzeba pamiętać, że społeczności Trzeciego Świata są młode i dynamiczne, a zamożny świat bardzo się starzeje. Może niedługo sami będziemy szukać młodej, prężnej siły roboczej? Dlatego tak ważne jest, żeby dziś nie zaostrzać stereotypów na temat ludzi z biednych krajów, lecz budować świat zrozumienia, możliwy do życia nie tylko dla nas, ale dla wszystkich. Po prostu nie ma innego wyjścia. [46]

Pod koniec dwudziestego wieku wkroczyliśmy w trzecią fazę – fazę dekolonizacji kulturowej, polegającej na poszukiwaniu i odnajdowaniu przez kraje Trzeciego Świata własnej – odmiennej od naszej – tożsamości, własnych korzeni. Ta faza przebiega szczególnie gwałtownie i boleśnie dla Europy, która przez ostatnich pięćset lat panowała nad światem nie tylko w sensie politycznym i gospodarczym, ale także kulturowo, obyczajowo czy prawnie. Prawie cały współczesny świat został urządzony przez Europę i po europejsku. Pełna dekolonizacja oznaczać będzie detronizację Europy po pięciu wiekach jej panowania nad światem. Zrozumiałe więc, że dla Europy i Europejczyków jest to bardzo bolesne. [8]

Otóż pierwszy wyłom w eurocentrycznym monopolu, w panującej i niemal zupełnej dominacji kultury europejskiej, dokonuje się w początkach ery dekolonizacji, a więc w połowie dwudziestego wieku. Ten jednak ledwie rozpoczęty ruch kultur nieeuropejskich ku równouprawnieniu i uznaniu – a towarzyszy mu rosnące poczucie własnej wagi, wartości i odrębności, własnej siły i urody – zostaje na ponad trzy dziesięciolecia przytłumiony i przyhamowany przez zimną wojnę. Surowe, bezwzględne prawa tej wojny nie pozwalają na rozwój kultury – to doświadczenie jest wspólne całemu zniewolonemu światu.

A jednak te ledwie odradzające się i jeszcze nieokrzepłe kultury pozaeuropejskie potrafiły – mimo ograniczeń i przeszkód – żyć, rozwijać się, nabierać świadomości samych siebie. W rezultacie kiedy skończyła się zimna wojna, okazały się już na tyle samodzielne i dynamiczne, że mogły przejść do drugiego, trwającego obecnie etapu: określiłbym go jako etap wyraźnej już samoświadomości, rosnącego poczucia własnej wartości i wyczuwalnej ambicji, aby zająć ważne miejsce w nowym, demokratyzującym się, wielokulturowym świecie.

Jakże ogromne zmiany dokonały się w tym pozaeuropejskim świecie! Europa była w nim kiedyś mocno osadzona i przez swoje instytucje, i przez swoich ludzi. [33]

Podróżując nawet do odległych zakątków globu, miało się wrażenie, że w jakimś sensie człowiek nie opuszcza Europy – była wszędzie! Jeżeli dotarłem do Morondavy na Madagaskarze, czekał tam na mnie hotel europejski, jeżeli leciałem z Salisbury do Fort Lamy, pilotami miejscowych linii byli Europejczycy, jeżeli byłem w Lagos, mogłem kupić w kiosku londyńskiego „Timesa" czy „Observera". Nic takiego nie jest dziś możliwe. W Morondavie jest tylko hotel malgaski, piloci są

Afrykańczykami, w Lagos można kupić wyłącznie prasę nigeryjską. Zmiany w instytucjach kulturalnych są jeszcze większe. Na uniwersytetach w Kampali, w Varanasi czy Manili profesorów europejskich zastąpili miejscowi akademicy, a na międzynarodowych targach książki w Kairze zdecydowanie dominują książki w języku arabskim – choć kiedyś było inaczej. [33]

Jednym z bardziej fascynujących zjawisk jest rosnąca dynamika kontaktów wewnątrz Trzeciego Świata, odbywających się bez pośrednictwa Europy i Stanów Zjednoczonych. Kwitną relacje na wielu polach – etnicznym, religijnym, handlowym i politycznym.

Trwa inwazja Chińczyków i Japończyków na Afrykę i Amerykę Łacińską. Spotykam ludzi – wielkich światowców, którzy w ogóle nie jeżdżą na Zachód, do świata rozwiniętego. Ostatnio byłem w São Paulo, gdzie zdumiała mnie liczba japońskich dzielnic. Nie zdajemy sobie sprawy, jakie wymieszanie następuje w obrębie Trzeciego Świata. W samej tylko Brazylii, wspaniałej Brazylii, trwa niewyobrażalne spotkanie wielu kultur, cywilizacji, religii.

Nie dostrzegamy też, jak bardzo ciekawa myśl powstaje poza tradycyjnymi centrami. Nie mamy dostępu do fascynującego czasopiśmiennictwa socjologicznego i antropologicznego, jakie powstaje w Ameryce Łacińskiej, nie wiemy, jak ciekawą, bardzo ciekawą prasę wydaje się w Egipcie i w Indiach. Nikt tego nie odnotowuje, nikt na to nie zwraca uwagi. Cały ten wielki świat, pulsujący, wymieniający się, spotykający się, w ogóle nie istnieje w naszej mentalności i w naszym widzeniu rzeczywistości. [55]

Nie zauważyliśmy momentu, w którym postawy rewolucyjne w Trzecim Świecie zostały przejęte przez wykształconą klasę średnią, jaka zdążyła tam powstać. W 2003 roku zaprosił mnie do Kairu pewien egipski inżynier, który kiedyś studiował w Polsce. Zabrał mnie do ekskluzywnego klubu inżynierów w bogatej, dobrej dzielnicy Zamalek. Była tam cała masa młodych, zamożnych ludzi, znakomicie wykształcanych absolwentów Oksfordu czy Cambridge. Wszystkie kobiety były w czadorach, zgodnie z wymogami islamu. To nie były starsze panie, które muzułmańskie stroje nosiłyby z szacunku dla tradycji. To były młode dziewczyny, a mój przyjaciel Egipcjanin zapewniał mnie, że same się tak ubierają, chcąc podkreślić swoją odrębność i dumę z przynależności do swojej cywilizacji.

Takie poczucie własnej wartości niesłychanie się wśród mieszkańców Azji i Afryki w ostatnich latach rozwinęło. Przypominam sobie, że gdy podróżowałem po Afryce w latach pięćdziesiątych czy sześćdziesiątych, odnoszono się do mnie z wielką atencją. Teraz do białych w Afryce nie zwraca się już z taką uniżonością jak niegdyś. Europejczyk jest w Afryce gościem i tak się czuje. Gospodarzami są Afrykanie i tak się zachowują. [8]

Dekolonizacja kulturowa to obudzenie się w świadomości krzywd nie własnych, ale pokoleniowych. Krzywd będących wynikiem epoki niewolnictwa, epoki kolonialnych podbojów. Jest to także poczucie, że wielowiekowa dyskryminacja daje moralne prawo do rewindykacji. Wynika z uznania, że skoro jakiś Anglik czy Francuz mógł przed wiekami przyjechać do Indii czy Wietnamu i uważać te kraje za swoje, to dziś nikt nie może zabronić Hindusowi czy Wietnamczykowi uważać Europy za swoją. To konstatacja, że przyjezdni mają takie samo prawo do Europy jak przed wiekami Brytyjczycy do Indii czy Francuzi do Afryki.

Pragnienie dowiedzenia swojej równości i równorzędności jest tym silniejsze, że wychodzi od przedstawicieli cywilizacji i kultur starych jak świat. W niczym nie czują się gorsi od nas, a przynajmniej nie chcą się czuć. Chcą, by ich kultury uznać za równie ważne jak europejska. [8]

Dążenie do wolności – dekolonizacja – zostało przez Zachód przedstawione w sposób jednostronny i okrojony. Zrozumiano wyłącznie wątek państwowo-ekonomiczny: oto podległe ludy chcą mieć swoją flagę i swoją walutę. Zupełnie pominięto całą sferę duchową tego procesu, a przecież było to niezwykłe budowanie tożsamości narodu i krzepnięcie poczucia dumy z wartości własnej cywilizacji.

Na duchowy awans, na nowe ambicje dawnych kolonii świat zachodni był zupełnie nieprzygotowany. To właśnie o tym zjawisku, o narodzinach duchowych Trzeciego Świata, starałem się pisać. [37]

Smutna, nieprzenikniona, dynamiczna. Afryka

Początek epoki kolonialnej to nie jest jeden moment. W różnych częściach świata ona zaczyna się w różnych momentach. Również siły kolonialne mają różny charakter. Podbój Meksyku czy Peru przez Hiszpanów był krwawy. Czasem podbój miał charakter stopniowej penetracji ekonomicznej – na przykład w Afryce Zachodniej. Najpierw budowano porty, fabryki, dopiero potem podpisywano umowy z lokalnymi kacykami, rozszerzano terytorium zależne.

Kiedy na przełomie dziewiętnastego i dwudziestego wieku zaczynał się podbój Nigerii, dowódca brytyjski, który opanował całe to terytorium – lord Lugard – miał zaledwie jedenastu ludzi. Podpisywał stopniowo kontrakty, rozszerzał posiadłości do momentu, aż napotkał granice terytorium zajętego przez Francję.

Czasem kolonialiści natrafiali na silne organizacje plemienne, a innym razem na terytoria, na których plemiona znajdowały się w stanie rozpadu, chorób, i zajęcie ich było szybkie i łatwe. [78]

Lugard i jego ludzie nie mogli panować nad całym krajem i musieli szukać pomocy u miejscowych. Wymyślili więc system *indirect rules*, czyli władzy pośredniej. Starali się zjednać przychylność wodzów plemion, klanów, współpracować z nimi i poprzez nich rządzić. W ten sposób utrwalili struktury plemienne i klanowe. Francuzi tego nie stosowali. Starali się wykształcić własną afrykańską francuskojęzyczną elitę, żyjącą we francuskiej kulturze. [47]

Podziały kulturowe są widoczne zwłaszcza w dawnych koloniach francuskich. Wyraźny jest podział na tych, których określano mianem *évolué*, czyli posiadających wykształcenie europejskie, mówiących językami europejskimi, wyznających europejskie religie i poczuwających się do bliższych związków z Europą i całą resztą. To była wielka generacja ludzi w rodzaju Leopolda Senghora z Senegalu czy Kwame Nkrumaha z Ghany, wielkich polityków i ludzi kultury.

Problem apartheidu był dużo mniejszy w koloniach francuskich niż brytyjskich, gdzie separacja białych od czarnych była bardzo wyraźna. We francuskim systemie kryterium zbliżenia stanowiły kultura i wykształcenie. Jeżeli ktoś był czarny, ale skończył Sorbonę, to wchodził w białe środowisko dużo łatwiej.

W angielskich koloniach nawet wykształcenie nie dawało przepustki na salony białych. Brytyjczycy szli jeszcze dalej w swych pomysłach segregacyjnych. Polski żołnierz, który w czasie drugiej wojny światowej trafił do Afryki, wspominał, że także alianci: Polacy, Hindusi, Holendrzy, byli traktowani jak ludzie niższej kategorii. Mieli swoje kasyno, toalety, namioty. [47]

Kolonializm brytyjski odznaczał się tym, co w ogóle cechuje Anglików: dystansem, poczuciem wyższości kulturowej. Francuzi byli skłonniejsi do współpracy i równego traktowania miejscowych. Najmniej elitarni i rasistowscy byli Portugalczycy. Kolonializm portugalski dopuszczał emigrację do Angoli i Mozambiku białej biedoty, eksportując biedę z metropolii do kolonii. Było to nie do pomyślenia w koloniach brytyjskich, gdzie ubogich ze względu na dumę kolonialną i rasową nie wysyłano. W efekcie w byłych koloniach portugalskich jest największy w Afryce odsetek ludzi mieszanych rasowo, ponieważ ubodzy Portugalczycy żyli z miejscowymi kobietami. Tutaj stopień nietolerancji rasowej był najniższy. [47]

Kongo było prywatną posiadłością belgijskiego króla Leopolda i jego kamaryli kolonialnej, krajem, który bezwzględnie eksploatowano. Rdzenni mieszkańcy nie mieli żadnych praw. W Europie długo nie wiedziano o ich tragedii, gdyż był to kraj zamknięty. Żaden biały nie mógł wjechać do Konga bez zgody władz belgijskich i policji, która musiała wydać wizę. Żadnemu Kongijczykowi nie wolno było jechać do Europy. Pierwsi Kongijczycy, którym na to zezwolono, zostali wybrani przez policję i władze kolonialne dopiero w latach pięćdziesiątych! Ale okrucieństwo kolonizatorów wszędzie było bardzo duże, zwłaszcza na początku. Trzeba pamiętać, że kolonizacja dokonała się rękami najgorszego białego elementu. Do kolonii jechali przede wszystkim awanturnicy, bandyci i spekulanci, a nie profesorowie uniwersytetów czy dostojnicy kościelni. Jeszcze w latach pięćdziesiątych spotykałem takich ludzi. W Europie nikt by im ręki nie podał, a tam byli wielkimi bossami i reprezentowali białą rasę. Afrykańczycy myśleli, że wszyscy biali są tacy. [47]

Spośród wszystkich krajów świata Afryka miała najmniej historycznego doświadczenia państwowego. Azja to historia wielkich królestw, imperiów – nigdy nie została tak spenetrowana przez kolonializm jak Afryka. Historia kolonialna Ameryki Łacińskiej zaczyna się dużo później. A Afryka to nie tylko kolonializm, ale także trwająca trzysta lat epoka niewolnictwa, rabunkowe wyniszczanie kontynentu. Poza tym kolonialiści interesowali się tylko wybrzeżami Afryki, faktoriami. Interior ich nie zajmował. [6]

Penetracja struktur kolonialnych była niezbyt głęboka. Dotyczyła głównie wybrzeży, miast portowych. Sam docierałem do miejsc położonych w głębi kontynentu, gdzie byłem pierwszym białym, jakiego tubylcy widzieli. Przemierzając Sahel od Mogadiszu w Somalii po Dakar w Maroku, rzadko można było spotkać białego człowieka. W Kongu biali żyli prawie wyłącznie w większych miastach: Stanleyville (dziś Kisangani) czy Leopoldville (Kinszasa). [47]

Afryka ma spośród wszystkich kontynentów najtrudniejszy klimat, wyjątkowo marną ziemię i wyjątkowo jest podatna na klęski żywiołowe, epidemie. Wszystko to sprawiło, że w Afryce nigdy nie powstały wielkie państwa, bo przetrwać mogły tam tylko niewielkie, mobilne wspólnoty, którym łatwiej było się przemieszczać, by uciekać przed klęskami żywiołowymi lub szukać pożywienia.

Mówi się, że podczas konferencji w Berlinie w dziewiętnastym wieku mocarstwa kolonialne podzieliły Afrykę, a przecież właściwie to one ją zjednoczyły. Dziesięć tysięcy maleńkich wspólnot, efemerycznych królestw zostało zebranych, oczywiście arbitralnie i sztucznie, w blisko pięćdziesiąt podległych terytoriów. W chwili zdobycia wolności w Afryce było niewiele własnej tradycji państwowej. W epoce niepodległości Afryka nie miała się więc na czym oprzeć. Wszystko trzeba było wymyślać, zapożyczać.

Afryka przejmowała więc cudze rozwiązania, wierząc, że skoro sprawdziły się gdzie indziej, powinny zadziałać także na Czarnym Lądzie. Właśnie ten brak tradycji i doświadczenia oraz naiwna wiara sprawiały, że wszystko w Afryce wydawało się tak skrajne, jakby oglądane przez powiększające szkło. [6]

W latach osiemdziesiątych dziewiętnastego wieku Afryka zostaje podzielona, a już w 1960 roku zaczyna się niepodległość Afryki. Kolonializm trwał około siedemdziesięciu lat. Historycy są zgodni, że dla Afryki dużo gorszym od kolonializmu nieszczęściem był handel niewolnikami, który trwał ponad trzysta lat. Grabienie Afryki z ludzi zaczęło się w wieku szesnastym, a trwało do wieku dziewiętnastego. To nie tylko wyludniało i tak słabo zaludniony kontynent, ale spowodowało kompletną ruinę gospodarczą. Afryka nie mogła się rozwinąć, bo najlepsi, najzdrowsi i najmłodsi byli wywożeni: z Afryki Atlantyckiej do Europy i Ameryki, z Afryki Wschodniej do krajów arabskich. [23]

Z psychologii człowieka skolonizowanego, podbitego wzięło się widzenie całego świata w kategoriach rasowych.

Handel niewolnikami odbywał się w dużo bardziej prymitywnych warunkach niż wyzysk kolonialny. Pierwsza epoka kolonializmu była bardzo brutalna, ale w dwudziestym wieku pojawiły się inwestycje, plany rozwojowe. Kolonializm przechodzi korzystną ewolucję aż do momentu, kiedy ustępuje. Ocena kolonializmu musi być złożona, natomiast ocena handlu niewolnikami jest jednoznaczna: to okrucieństwo. [23]

Zachód ponosi winę za całą historię niewolnictwa, kolonializmu, postkolonializmu. To Zachód odpowiada za kształt niepodległej Afryki, za jej niepowodzenia. Porzucając Afrykę, Europejczycy pozostawili tam nierozwiązane problemy. Najgorzej wygląda sytuacja w koloniach tych europejskich państw – Portugalii, Włoch, Belgii – które dawniej same były słabe, ale marzyły o koloniach bardziej ze względów prestiżowych niż gospodarczych. Polska też domagała się kolonii na Madagaskarze, w Angoli albo Liberii, funkcjonowała u nas Liga Morska i Kolonialna.

Te słabe europejskie państwa najpierw wysyłały do Afryki ludzi z marginesu społecznego, a nawet nędzarzy – widziałem białych portugalskich żebraków na ulicach Luandy. Potem zaś porzucały Afrykę w panice, zabierając ze sobą wszystko, co się dało, nie pozostawiając jej żadnej infrastruktury, żadnej kadry. Młode państwa często już w momencie swoich narodzin nie były przygotowane do życia. Powodowało to chaos, zamieszki, korupcję...

Anglicy z godnością pogodzili się z faktem, że przestają być kolonialnym mocarstwem. Francuzi natomiast nigdy nie przestali uważać Afryki za swą strefę wpływów. Dziś w hotelach byłych kolonii brytyjskich trudno dostać „The Times", bez kłopotu można jednak kupić w kiosku „Le Monde", „Le Figaro" czy „Libération" w byłych koloniach francuskich. [23]

Afryka to moje najbogatsze doświadczenie: jeżdżę tam już czterdzieści lat, parę lat tam mieszkałem, wciąż lubię wracać. Z tym że słowa „Afryka" zwykle używamy w wielkim uproszczeniu, a przecież to niesłychanie skomplikowany i zróżnicowany świat. Gdy w 1958 roku pojechałem pierwszy raz do Afryki, liczyła dwieście dwanaście milionów mieszkańców. Teraz zbliża się do miliarda, a więc w czasie mojego zawodowego życia ludność kontynentu powiększyła się prawie pięciokrotnie. [47]

Afryk jest wiele, przynajmniej cztery: Afryka Północna – ogromna wstęga, która rozpościera się od wybrzeży śródziemnomorskich do Sahary, Afryka Zachodnia, Afryka Wschodnia i wreszcie Afryka Południowa. Każdy z tych regionów bardzo się różni od pozostałych. A jednak było coś, co łączyło wówczas cały kontynent – walka o niepodległość, powszechne dążenie do wolności. Widmo krążyło we wszystkich zakątkach Afryki – widmo oczekiwania i nadziei na koniec kolonializmu. W każdej części Afryki odnajdowałem ten sam klimat, to widmo wolności – był to duch *Uhuru*, duch niepodległości, która w tamtych latach była ideą nadrzędną. Tym, co dzieliło kontynent, była chronologia jej uzyskiwania. Niektóre kraje zdołały wybić się na niepodległość szybciej, inne musiały czekać jeszcze wiele lat. Ale to widmo, to dążenie, naprawdę łączyło całą Afrykę.

Drogi, które prowadziły do niepodległości, bardzo się między sobą różniły. Niektóre narody walczyły o nią zbrojnie: krajem, w którym walka okazała się najbardziej krwawa i długa, była Algieria, lecz również w wielu innych miejscach toczyły się krwawe wojny. W koloniach portugalskich konflikty ciągnęły się aż do lat siedemdziesiątych. Bunt Mau-Mau wstrząsnął na całe lata Kenią, bojówki rozprzestrzeniały się w południowych regionach Sudanu.

Inne kraje, zwłaszcza byłe kolonie brytyjskie, zdołały uzyskać wolność na drodze pokojowej. Pod koniec lat pięćdziesiątych w takich krajach, jak Malawi, Kenia i Uganda, toczyły się negocjacje i konferencje. Dzięki konstytucjonalnym umowom niepodległość uzyskał tak ważny kraj jak Nigeria. Były to rozwiązania kompromisowe: Wielka Brytania uznawała prawa nowego kraju, otrzymując w zamian przywileje ekonomiczne i militarne. Natomiast kolonie francuskie poszły trzecią drogą: Paryż przyznał im niepodległość, lecz pod warunkiem, że nowe państwa pozostaną w rękach elity, która kulturowo dorastała we Francji i była wierna dawnemu władcy kolonialnemu.

Rok 1960 był rokiem niepodległości: siedemnaście krajów afrykańskich, przede wszystkim byłych kolonii francuskich, uzyskało wolność. Ale były to także lata zimnej wojny, więc do Afryki szybko wtargnęły również wielkie mocarstwa.

Kraje afrykańskie prawie natychmiast podzieliły się na dwa obozy: jedne wybrały sojusz z Zachodem, inne spoglądały w stronę Wschodu; jedne przyłączyły się do Moskwy, inne zawarły pakt ze Stanami Zjednoczonymi. Ten podział utrudniał nowym krajom drogę do kontynentalnej jedności. Jedynie wielki prestiż Hajle Sellasjego umożliwił dialog pomiędzy obiema grupami: cesarz Etiopii został zaakceptowany przez przeciwstawne obozy. Pozostał neutralny, spotykał się z afrykańskimi przywódcami i w 1963 roku zdołał zorganizować ich pierwsze zgromadzenie: twórcy niepodległości krajów afrykańskich spotkali się w Addis Abebie. To wówczas powstała OJA, Organizacja Jedności Afrykańskiej. Jako młody dziennikarz, oczywiście musiałem w tym spotkaniu wziąć udział. [57]

Cesarz był na pewno nadzwyczajną osobowością polityczną. Etiopia była krajem skrajnego ubóstwa, ziemią feudalną, bardzo zacofaną – autentycznie panowało tam głębokie średniowiecze. Niewolnictwo wciąż było namacalną rzeczywistością. I cesarz, który pod pewnymi względami był nowoczesnym człowiekiem, naprawdę wyszedł wprost ze średniowiecza. Jego władza była despotyczna i absolutna. Jego zachowania, jego szaty, jego protokół przystawały do dworu średniowiecznego.

Hajle Sellasje wiedział, że nie może wystąpić przeciw własnej arystokracji. Należał do niej, feudałowie byli podporą jego władzy, więc cesarz nie mógł i nie miał zamiaru przekształcać instytucji feudalnych Etiopii. Był człowiekiem bezlitosnym – tych, którzy sprzeciwiali się jego woli, czekał wyrok. Ci, którzy występowali przeciwko niemu, byli martwi. Po próbie zamachu stanu w 1960 roku jego represje pozbawione były wszelkiego umiaru. Pozabijał wszystkich buntowników, w tym swoich najbliższych współpracowników. [57]

Niedługo przed szczytem w Addis Abebie Nkrumah napisał swój „Manifest dla Afryki". *Africa must unite* – to był jego program i jego marzenie. Nkrumah był wizjonerem i dobrze wiedział, że kraje afrykańskie pojedynczo nie miałyby szans we współczesnym świecie. Były za słabe. Jedynie zjednoczona Afryka mogła odegrać ważną rolę, mogła liczyć się we wspólnocie międzynarodowej. Nkrumah wierzył, że tylko federacja krajów afrykańskich ma jakąś szansę. W opinii lidera Ghany, światu miały przewodzić mocarstwa, więc Afryka – jeśli chciała mieć głos – powinna również zostać potęgą. W przeciwnym razie jej los można było łatwo przewidzieć: podziały, rywalizacje i wojny wewnętrzne.

Pamiętam doskonale tę chwilę, kiedy Nkrumah wystąpił na zgromadzeniu w Addis Abebie. Szczyt przeżywał moment zmęczenia, delegaci opuszczali salę, rozchodzili się po barach, rozmawiali z dziennikarzami, i nagle – jak gdyby nas wszystkich podłączono do prądu. Rozeszła się wiadomość: „Nkrumah ma zabrać głos, będzie mówił". Sala wypełniła się w ciągu kilku minut, Nkrumah wszedł na mównicę i zapadła natychmiastowa cisza.

Nkrumah był charyzmatycznym przywódcą, człowiekiem, który był zdolny wyzwolić wielkie emocje, fascynującą postacią. Jego wzrok zdawał się patrzeć daleko. Na pewno był największym wśród nowych przywódców afrykańskich, choć w Addis Abebie nie brakowało nadzwyczajnych osobowości, jak Hajle Sellasje – cesarz Etiopii, którego prestiż sięgał właśnie zenitu.

Z kolei Naser był punktem odniesienia dla całej Afryki arabskiej. Na salę, gdzie odbywał się obiad powitalny, cesarz Etiopii i prezydent Egiptu weszli pierwsi – razem, jeden obok drugiego. Widok bohaterów afrykańskiej historii robił wrażenie. Wrażenie na mnie wywarł również Ben Bella, bojownik Algierii, i Sekou Toure, przywódca gwinejski, kolejny wyznawca panafrykanizmu. Do Addis Abeby nie przyjechał Jomo Kenyatta, ojciec wolności kenijskiej. On nigdy nie opuszczał granic swojego kraju. [57]

Patrice Lumumba był spadającą gwiazdą, która nie miała czasu, żeby rozbłysnąć. Przez kilka miesięcy był premierem Konga. Pół roku po nominacji został brutalnie zamordowany przez Czombego i secesjonistów katangijskich. Był młody. Miesiąc po tym jak został premierem, Kongo ogarnęła krwawa wojna domowa. Tak naprawdę to nie możemy o nim wiele powiedzieć. Kiedy Lumumba został zamordowany, byłem w Kongo. Wielkie wrażenie zrobiło na mnie tempo i brutalność wydarzeń, a także izolacja Lumumby. Nigdy nie miał prawdziwej władzy, został pozostawiony sam, opuszczony. Stał się symbolem. To afrykański Che Guevara – także jego mit jest związany z gwałtowną śmiercią.

Nie wystarczyło mu czasu, żeby wyrazić swoje idee do końca. Nie pozostawił po sobie książek. Został wybrany, zaraz po tym wybuchła wojna i Kongo zmieniło się w pole bitwy wielkich potęg. Przyszli Rosjanie i Amerykanie. Gdybyśmy raz jeszcze przeczytali dziś pierwsze strony ówczesnych gazet, odnieślibyśmy wrażenie, że Kongo było iskrą, od której mogła wybuchnąć trzecia wojna światowa. Latem 1960 roku od kongijskiego zarzewia naprawdę mógł zapalić się świat, Kongo mogło odegrać tę samą rolę co Sarajewo w 1914 lub Polska w 1939 roku. W sercu Afryki panowało ogromne napięcie, toczyła się potworna gra: Amerykanie, Rosjanie, Chińczycy i Belgowie snuli brutalne projekty i właśnie tam, w samym środku Afryki, toczyli ze sobą bezkompromisową walkę.

Lumumba nie miał tu żadnych możliwości: dla światowych potęg nie liczył się wcale. Kazali go zabić bez skrupułów. [57]

W historiografii zawsze toczył się spór dotyczący roli jednostki w historii. Były tu skrajności – od marksizmu, który negował rolę jednostki, do teorii Carlyle'a, który uważał, że tylko jednostka decyduje o wszystkim. W wypadku Mandeli możemy przyjąć tezę o rzeczywiście wyjątkowej roli jednostki. Jego obecność, jego działania, filozofia, humanizm, jego mądrość polityczna pozwoliły, żeby to, co wydawało się niemożliwe, stało się możliwe. Wydawało się niemożliwe, żeby w kraju o tak strasznym konflikcie rasowym, który zawsze jest potwornie emocjonalny, można było przejść do społeczeństwa nierasowego bez walki zbrojnej, bez strasznego przelewu krwi. Niesłychanie istotne było to, że po stronie czarnej społeczności znalazł się ktoś, kto rozbrajał tę społeczność z nienawiści. [38]

Choć apartheid jest typowo afrykanerski, dotyczy białego narodu i oznacza oddzielenie ras, to zasada jest prastara. Grecy stosowali apartheid wobec barbarzyńców, czyli wszystkich nie-Greków. Oddzielali się od nich. Rzymianie wprowadzili apartheid w postaci *limes*: kopali rowy, okopy, by się oddzielić. Ciągnie się on więc przez całą historię ludzkości.

Specyfika modelu południowoafrykańskiego polega na tym, że tam nienawiść rasową i ideę separacji ras podniesiono do rangi prawa państwowego. Gdzie indziej rasizm tonowano albo starano się go ukrywać. W RPA odwrotnie. Była to jedna z form kolonializmu wewnętrznego, który istniał we wszystkich pozostałych koloniach. W Brazylii na przykład do dziś jest bardzo silny. Tam, gdzie jedne regiony wyzyskują drugie, istnieją nierówne podziały. Tutaj jednak nastąpił wyjątkowy wypadek, że ogólnie potępiany, choć praktykowany, rasizm stał się wykładnią państwa.

Był to skomplikowany system, który przechodził ewolucję. Formalnie przyświecała mu zasada tak zwanego oddzielnego rozwoju: biali osobno i czarni osobno. Miało to na celu zachowanie czystości rasy. Istniało bowiem przekonanie, że jeśli rasy będą się mieszać, to czarna, liczniejsza, zdominuje białą i przejmie władzę. Zasada czystości rasy przenika wszystkie ustawy apartheidu. Według oficjalnych danych, Afrykanerzy (Burowie) stanowili szesnaście procent społeczeństwa RPA. [47]

Byłem w RPA niedługo po zakończeniu ery apartheidu, kiedy biali farmerzy byli uzbrojeni, mieli karabiny maszynowe poukrywane w domach. Czekali na wybuch wojny domowej. Chcieli bronić swoich feudalnych przywilejów. Ich latyfundia były jak średniowieczne królestwa. Ci ludzie naprawdę się bali, że stracą władzę i bogactwo. Wydawało się nieuchronne również starcie pomiędzy Zulusami a Khosa, największymi czarnymi grupami etnicznymi w tym kraju.

I Mandela dokonał cudu. Nie wybuchła żadna wojna domowa, a władza polityczna przeszła w ręce czarnych. Jest to chyba jedyny taki przypadek w historii – jedna osoba, nadzwyczajny Nelson Mandela, zdołała dokonać czegoś, co przekracza wszelkie wyobrażenie. [57]

Dzięki temu Mandela włączył Afrykę Południową w kategorię rewolucji negocjowanych. Rewolucje były zawsze bardzo krwawe, związane z fizyczną likwidacją jednej klasy przez drugą, ze zniszczeniem, z barykadami, z całą scenografią krwi, przemocy i gwałtu. Teraz, od 1989 roku – polska rewolucja Solidarności była tu pierwszym przykładem – weszliśmy właśnie w okres rewolucji o nowym charakterze, rewolucji negocjowanych. To są takie rewolucje, które mają przebieg bezkrwawy. Następuje w nich zmiana warty, ale nie poprzez fizyczną przemoc i nie w formie ostatecznej, tylko częściowych ustępstw. Ustępująca klasa oddaje władzę polityczną pokojowo, bez walki zbrojnej. Na jej miejsce wchodzi nowa klasa polityczna, ale stara zachowuje częściowe pozycje w elicie władzy i dosyć silne pozycje ekonomiczne. To są rewolucje długotrwałe, przewlekłe, nie rozwiązują się jednym pociągnięciem, ale nie niszczą kraju, a przede wszystkim ludzi. Uważam, że to bardzo cenna zdobycz współczesnej ludzkości. [38]

Z jednego z mostów w Chartumie można obserwować, jak schodzą się dwa Nile – Biały i Błękitny. Oba płyną potem jednym korytem, ale jeszcze długo wyraźnie widać, że kolor wody jednej rzeki odróżnia się od koloru wody drugiej. Dopiero po kilkunastu kilometrach zaczynają się mieszać.

W RPA zniesiono apartheid – podstawę ustroju, ale przecież na apartheidzie zbudowano całą gospodarkę, infrastrukturę, wszystko. Mamy tu eleganckie, supernowoczesne miasta białych i tuż obok potworne dzielnice biedy czarnych. Tego się nie da znieść dekretem. Musi nastąpić proces, musi upłynąć czas.

Oczywiście, powoduje to ogromne niezadowolenie, niecierpliwość ogromną. Na całym świecie ludzie uważają, że wraz z demokracją przychodzi dobrobyt. Niestety, często zamiast polepszenia następuje pogorszenie. [58]

Byłem w Afryce w 1957 roku, kiedy pierwszy kraj na południe od Sahary, Ghana, uzyskał niepodległość, i byłem w Afryce w 1993 roku, kiedy niepodległość uzyskał ostatni kraj afrykański, Erytrea. Uczestniczyłem więc w całym cyklu narodzin niepodległej Afryki, od pierwszego do ostatniego kraju. [9]

Niemal we wszystkich tych państwach przedstawiciele wspomnianych wcześniej partii narodowowyzwoleńczych przejmują struktury kolonialnej administracji, kolonialne granice i zastany układ społeczny. Pamiętajmy, że struktura administracyjna w tych krajach, granice, skład socjologiczny były narzucone przez najeźdźców. I oto nowe władze niepodległych państw przejmują starą, sztuczną strukturę, ogłaszają ją jako własną, wchodząc tym samym w buty kolonizatorów. To stanie się poważnym problemem w przyszłości.

Zjawisko to obserwował już wówczas między innymi wybitny ekonomista francuski René Dumont. W swojej książce „Czarna Afryka źle wystartowała" podkreślał nieszczęśliwy stan państw postkolonialnych. Nieszczęście to upatrywał przede wszystkim w przejęciu struktur państwa kolonialnego bez próby ich zreformowania. [78]

Wolność polityczną przejmowały w Afryce elity, ludzie wykształceni na europejskich czy amerykańskich uniwersytetach, tacy jak Nkrumah, Julius Nyerere z Tanzanii czy Kenneth Kaunda z Zambii. Te elity były jednak dramatycznie nieliczne. To były dosłownie jednostki, świadome tego, że działają w pustce. Nie było w ogóle klasy średniej, która powstała dopiero w ciągu ostatnich pięćdziesięciu lat. Dopiero ona mogła dorobić się poczucia własnej wartości, kulturowej samodzielności, dopiero ona mogła naprawdę zażądać uznania dla swojej kultury. Ta klasa średnia ma bardzo silne poczucie narodowej tożsamości i odrębności. Podobnie przecież było w Europie. Bez tej klasy średniej rewolucja kulturowa w Trzecim Świecie byłaby niemożliwa. [8]

Niepodległość Afryki, która stawała się nieuchronna w latach sześćdziesiątych, dla białych oficerów armii kolonialnych oznaczała groźbę utraty przywilejów, całego dorobku życia, jedynego dobrego miejsca pod słońcem. Nie byli w stanie – choć nierzadko próbowali, jak w Algierii – storpedować samego procesu niepodległości. Rozmaitymi sztuczkami robili wszystko, by w tych młodych wolnych państwach nie tylko pozostać, ale być w nich niezastąpieni.

Typowali więc do awansów miejscowych ludzi trzeciego rzutu, niezbyt lotnych, ale posłusznych, swoich podoficerów, adiutantów, służbę, Mobutów, Bokassów czy takich jak Idi Amin, który karierę w wojsku zaczął jako pomocnik kucharza. Wiedzieli, że ci podopieczni nic nie umieją, nierzadko nawet pisać i czytać, i że będą swoich protektorów potrzebować. Wierzyli też, że ich byli podwładni pozostaną im po staremu posłuszni. Chcieli dowieść, że bez nich nic nie da się zrobić, a więc muszą pozostać i zachować choć część starego życia. [6]

Niepodległość przyszła w Afryce nagle i nagle trzeba było znaleźć odpowiednią liczbę ministrów, dyrektorów, generałów. Zmierzający pospiesznie do władzy afrykańscy politycy akceptowali zazwyczaj kandydatury ludzi podpowiadane im przez dotychczasowych kolonialnych władców. Byle szybciej przejąć władzę. [6]

Amin, Bokassa, Mobutu czy Mengistu Hajle Mariam z Etiopii byli cynicznymi oportunistami. Nie kierowali się żadną ideologią, nie mieli żadnej wizji. Uprawiali nacjonalistyczną demagogię po to tylko, by coś mówić, mamić ludzi. Nie czuli nawet pogardy, bo żeby ją czuć, w ogóle trzeba żywić jakieś uczucia. To była brutalna, odarta z całej frazeologii i etycznych zasad czysta walka bardzo prymitywnych ludzi o władzę. Ludzi gotowych na wszystko, by utrzymać się u władzy, i obdarzonych jednocześnie zwierzęcym sprytem oraz instynktem władzy i przetrwania. Przemoc była zadawana masowo, ale niemal mechanicznie, bez nienawiści. Amin nie traktował swoich wrogów jak przeciwników ideologicznych, tylko jak fizyczne zagrożenie. [6]

Nie trzeba było długo czekać, żeby wojskowi przejęli władzę prawie w całej Afryce. Lata sześćdziesiąte były dekadą militarnych zamachów stanu – naliczyłem ich ponad czterdzieści. Tylko nieliczne kraje zdołały uniknąć interwencji wojskowej. Rozkład administracji cywilnej oczywiście ułatwiał zamachowcom zwycięstwo. Wojsko było w tych latach jedyną instytucją sprawną, miało własne struktury i fundusze, było zdyscyplinowane, kontrolowało systemy komunikacji. Wojskowi z łatwością przejmowali władzę od kłótliwych i biernych władz cywilnych. W wielu krajach wojsko cieszyło się poparciem społecznym, bo miało opinię instytucji nieskorumpowanej, moralnie czystej i surowej. [57]

Najpierw afrykańscy wojskowi pozbyli się białych oficerów, którzy pozostali jako ich instruktorzy. Afrykańscy żołnierze widzieli, jak ich cywilni koledzy zostają ministrami, dygnitarzami. Nie zamierzali czekać. Też chcieli zastąpić białych, stać się dowódcami, generałami. Potem, wykorzystując rozczarowanie ludności wolnością i wolnościowymi przywódcami, armie, ku entuzjastycznej radości ludu, zaczęły obalać prezydentów. Sam pamiętam tłumy wiwatujące po obaleniu Nkrumaha w Ghanie. Gdy Amin obalił Obote, ulica też szalała.

Społeczeństwa afrykańskie, pozbawione wszelkiego doświadczenia obywatelskiego, z dziecięcą łatwowiernością ufały, że wojskowi, niesplamieni korupcją, trybalizmami i arogancją władzy, zrobią porządek, powsadzają złodziei do więzień, przegonią. Dopiero w latach osiemdziesiątych nastąpi kolejne rozczarowanie i kolejny kryzys zaufania, które rozpoczną epokę afropesymizmu. Wszystko się zawaliło, wojskowi zawiedli, demokracja też. Wszystko źle. [6]

Nowe dziesięciolecie, lata siedemdziesiąte, były najgorszą dekadą w najnowszej historii Afryki. Owszem, niepodległość uzyskały kolejne kraje, portugalskie kolonie, jak Angola, Mozambik i Zielony Przylądek. Ale dla tego kontynentu zaczęła się również wielka tragedia – lata suszy i głodu. W Sahelu przestało padać. Lata siedemdziesiąte przyniosły Afryce koniec wszelkiej nadziei: klimat oczekiwania, ufności, który wyróżniał dotychczas cały kontynent, gdzieś się rozproszył. A ludy Afryki naprawdę wierzyły, że wolność przyniesie im rozwój, że niepodległość da szansę na lepsze życie. Może to było naiwne, ale nadzieja naprawdę napędzała Afrykę. I dekada suszy tę nadzieję zabiła. W Etiopii i w Sahelu doszło do nieprawdopodobnych tragedii.

Afryka zmieniła swoje oblicze. Ten przerażający dramat zaostrzyły inne jeszcze zjawiska – niebywała eksplozja demograficzna splotła się z niedostatkiem i głodem. Na świat przyszły miliony nowych ludzi, których nie można było wyżywić. Przez całe lata siedemdziesiąte i osiemdziesiąte przez Afrykę przechodziły potworne wstrząsy. Kontynent dotknęły nowe podziały, wygasły wszelkie dążenia do jedności i niepodległości. [57]

Podczas licznych wojen etnicznych intelektualiści stali się zwierzyną łowną. Pierwszym celem pogromów, które trwają w Ruandzie i Burundi od trzydziestu pięciu lat, byli intelektualiści i szerzej – inteligencja, a nawet po prostu ci, którzy umieli czytać i pisać. Mordowano potencjalnych przywódców.

W 1972 roku, kiedy reżim Tutsi tłumił powstanie Hutu, wojsko przyjeżdżało do szkół, zabierało na ciężarówki nauczycieli, uczniów starszych klas i wiozło ich do lasu – na egzekucję. Potem w Ruandzie Hutu mordowali inteligencję Tutsi. Zlikwidowano całą warstwę inteligencji, dokonano wzajemnej eksterminacji. Ci nieliczni, którym udało się przeżyć, uciekli do Europy i Ameryki. Dziś niemal wszyscy wybitni afrykańscy intelektualiści mieszkają poza Afryką. Ci, którzy pozostali, myślą głównie o tym, jak załatwić sobie zagraniczny kontrakt czy stypendium.

Degradacja afrykańskich elit przyczyniła się do paraliżu Organizacji Jedności Afrykańskiej. Nie starcza ani pieniędzy, ani dobrej woli na podjęcie jakiejkolwiek międzynarodowej akcji. Dyktatorzy nie chcą wysyłać swoich armii do sąsiednich krajów w obawie, że bezbronni staną się łatwym celem spiskowców. Ich cała filozofia polityczna sprowadza się do trwania przy władzy.

Wraz ze słabnięciem afrykańskich państw pojawił się fenomen miejscowych watażków, którzy wypełnili polityczną próżnię. Podstawą ich błyskotliwej kariery stała się niesłychana dostępność taniej broni i rekrutów do ich prywatnych armii. Watażkowie pojawili się zresztą pod koniec wieku nie tylko w Afryce, ale wszędzie tam, gdzie doszło do kryzysu struktur państwowych. Watażką był nie tylko Somalijczyk Mohammed Farah Aidid, ale także na przykład bośniacki Serb Mladić, Birmańczyk Khun Sa czy przywódca abchaskich separatystów Władysław Ardzinba. Ta nowo powstająca struktura władzy watażków dąży do rozsadzenia struktury tradycyjnych państw. [23]

W 1999 roku w Mali – w Afryce Zachodniej – leciałem z delegacją rządową do Timbuktu, gdzie przedstawiciele rządu malijskiego mieli organizować lokalną administrację państwową. Ten region obejmuje mniej więcej jedną trzecią terytorium kraju. Ci oficjele mieli zachęcać miejscową ludność, żeby zgodziła się na jakieś ich propozycje. Jako dodatkowy „argument" wieźli worki z kukurydzą, żeby rozdać ludziom. Uświadomiłem sobie nagle, że działo się to czterdzieści lat po odzyskaniu przez Mali niepodległości! Ten przykład doskonale unaocznia, jak bardzo władza państwowa w takich krajach jest słaba; sięga często do granic stolicy albo stołecznego regionu. A przecież są takie przykłady jak Kongo-Brazzaville, w którym władza państwa obejmowała jeszcze mniejsze terytorium – tylko kilka dzielnic stolicy, bo już nad innymi dzielnicami panował ktoś zupełnie inny, zupełnie inna władza. [78]

Ryzyko dekompozycji państw w Afryce jest ogromne. Tak jest zresztą na całym świecie, bo przeżyła się formuła państwa narodowego zrodzona w dziewiętnastym wieku. Już nawet w USA słyszymy, że chcą się oderwać Teksas i Vermont. Ile się rozpadło państw w Europie, a w następnych – w Belgii, we Włoszech, w Hiszpanii, Wielkiej Brytanii – działają siły odśrodkowe. Cóż więc dopiero mówić o takich słabych krajach w Afryce, gdzie nie było nigdy tradycji państwowej, a granice wyznaczono przy biurku. [83]

Afryka to pięćdziesiąt dwa państwa i pięćdziesiąt dwie sytuacje, w tym zupełnie beznadziejne, jak Somalia czy Liberia. Ale ja mówię o ogólnej pozytywnej tendencji, która się zarysowała. Bo mogłaby być przecież tendencja do nieustających przewrotów wojskowych, do pojawiania się krwawych dyktatorów w rodzaju Amina. A nie mamy dzisiaj żadnej krwawej dyktatury na kontynencie. Natomiast wiele krajów próbuje budować systemy demokratyczne, wielopartyjne. To jest proces, którego początek dopiero widzimy. Takie struktury zmieniają się latami. To są perspektywy długiego trwania, jak mówi Braudel: to wymaga długiej ewolucji. Nie wiemy, kiedy na przykład Uganda dojdzie do pełnej demokracji. Wiemy, że tendencja, jaka obecnie występuje w Ugandzie – a obserwuję ten kraj od ponad trzydziestu lat, jest pozytywna, to znaczy Uganda pod rządami Museweniego nie da się porównać z czasami Obote czy Amina.

Musimy odróżniać dwie sprawy: stan obecny od tendencji. Stan obecny może być straszny, ale wewnątrz tego strasznego stanu może się kształtować pomyślna tendencja. I to powinniśmy śledzić. Musimy każdą sytuację widzieć dynamicznie. [83]

Jest wiele afrykańskich krajów, gdzie demokracja całkiem znośnie funkcjonuje, bo i RPA, i Namibia, Botswana, nawet Tanzania, która jest bardzo biedna, ale nic tam się horrendalnego nie dzieje. Podobnie w Ghanie, w Wybrzeżu Kości Słoniowej, Senegalu, Burkina Faso i Mali – panuje tam porządek demokratyczny i całkiem sprawnie działa, a są to wszystko wielokulturowe kraje. Nie żyje się tam tak źle, żyje się biednie, ale to już całkiem inna sprawa. Sądzę, że się tam porządek demokratyczny osadza bez specjalnych ekscesów.

My w Europie mamy tendencję do mówienia ogólnego „Afryka, Afryka" i nawet nie pomyślimy, że to pięćdziesiąt dwa kraje o ogromnym zróżnicowaniu. Denerwujemy się, jak Afrykańczyk myli Portugalię z Polską, a dla nas Mali i Malawi to to samo. A to są zupełnie różne kraje. Kiedy dokonywano tragicznej rzezi w Ruandzie, wiadomości o niej drukowano pod tytułami „Grób Afryki", „Śmierć Afryki" czy „Cmentarz Afryki". A Ruanda to jest mniej niż jeden procent ludności Afryki. [83]

Kiedy wybuchły wielkie konflikty, kiedy państwo zaczęło dramatycznie słabnąć, okazało się, że jedyną trwałą siłą społeczną jest struktura klanowo-plemienna. Wszędzie tam, gdzie zanika państwo, gdzie zostaje rozbite albo osłabione, znaczenie i siłę odzyskują te właśnie struktury klanowo-plemienne. Przetrwały wszystko – okres przedkolonialny, kolonialny i postkolonialny. Dla wielu społeczności w krajach postkolonialnych są to jedyne struktury, które się sprawdziły, ostały, zachowały żywotność i skuteczność. Wobec tego, gdy państwo słabnie bądź gdy dochodzi do jego kryzysu, upadku, w sposób automatyczny dochodzi do przejęcia kontroli nad sytuacją przez te struktury. [78]

Kontynent ten przechował w formie najbardziej widocznej, namacalnej, odczuwalnej świadomość plemienną. Świadomość nie człowieka „uogólnionego", ale właśnie świadomość regionalną, lokalną. Okazuje się, że nie świadomość ojczyzn – ojczyzna to jest pojęcie płynne w dziejach społeczeństw, to trochę sztuczny twór w naszej mentalności – ale świadomość plemienna jest tym, co w człowieku najsilniejsze. [48]

Trzeba odróżnić świadomość plemienną od jej wykorzystywania do celów politycznych, do celów walki politycznej. To trochę tak jak z nożem: może służyć do krajania chleba i do podcinania gardła.

Tak samo jest z plemiennością. Ona sama w sobie jest wartością ogromną, natomiast można ją wykorzystać do gry politycznej czy do walki o władzę, do osiągnięcia jakichś korzyści politycznych. Tak więc z tego punktu widzenia plemienność, to mocne poczucie lokalnej wspólnoty, nie jest ani lepsze, ani gorsze od jakiegokolwiek innego uczucia. [48]

Moja teoria na temat rodzenia się konfliktów plemiennych, narodowych jest taka: twierdzę, że wojna nie zaczyna się 1 września 1939 roku, wojna nie zaczyna się w dniu wybuchu, w momencie kiedy pada pierwszy strzał. Wojna we współczesnym świecie zaczyna się od zmiany języka w propagandzie.

Kiedy śledzimy język, to, jak on się zmienia, jak zaczynają pojawiać się pewne słowa, okazuje się, że raptem, nie wiadomo skąd, pojawiają się takie słowa, jak: wróg, nieprzyjaciel, zniszczyć, zabić... A zatem zaczyna pojawiać się język agresji, język nienawiści. Inaczej mówiąc, to, co się nazywa *hate speech*. Jeszcze nie ma żadnej wojny, nie ma w ogóle jej śladu, w ogóle nic się o tym nie mówi. Natomiast zaczyna się zmieniać język komunikacji. I w tym momencie, po tych zmianach języka, po tym jak one się zaczynają nasilać i ukierunkowywać, widzimy, że zaczyna się zbliżać zawierucha wojenna. [48]

Konflikty międzyplemienne w Afryce były zawsze: ludy rolnicze i pasterskie walczyły o dostęp do wody, ziemi, pastwisk. Niski poziom technologiczny i słabe zaludnienie powodowały jednak, że nie dochodziło do masowych rzezi. Bronią w walce były strzały, dzidy. Dopiero w czasach zimnej wojny Wschód i Zachód uzbroiły Afrykę w broń maszynową. Także Ruanda i Burundi zostały zarzucone bronią. Jest to zarazem najgęściej zaludniony obszar Afryki. Na niewielkiej przestrzeni żyje tam około piętnastu milionów ludzi. [59]

Czarny rasizm jest w gettach amerykańskich, nie ma go właśnie w Afryce. Jeżeli w Ruandzie zginęli biali, musiały powstać jakieś szczególne okoliczności. W takich konfliktach trzeba umieć się zachować, najlepiej zejść z oczu. Nie tylko śmierć misjonarzy, ale wszystko, co działo się Ruandzie, pokazuje klęskę wysiłków chrystianizacyjnych. W tym pięknym kraju jest największe na świecie zagęszczenie misjonarzy. Kiedy wybucha nienawiść plemienna, chrześcijaństwo odpada od Afrykańczyków jak skorupa. Okazuje się, że sto lat chrystianizacji to nic wobec tradycji, która liczy tysiące lat. [59]

Człowiek indywidualny uczy się szybko. Społeczności potrzebują czasu, bo uczą się tylko poprzez doświadczenie. Historia Zachodu jest naładowana zmianą, transformacją, co zmusza nasze społeczeństwa do szybszego uczenia się.

W Afryce będzie wymagać to ogromnie dużo czasu. To są społeczeństwa w znacznym stopniu niepiśmienne. Bez pisma nauka trwa dłużej. Hutu często nie wiedzą, co było trzydzieści lat temu, bo już nie żyją ludzie, którzy mogliby to opowiedzieć.

Odruchowo stosujemy miary europejskie do tamtych sytuacji, do tamtych społeczeństw. Dopiero w ostatnim półwieczu nauczyliśmy się, że żyjemy w świecie wielokulturowym. Różne społeczności rozwijają się w różnym tempie, mają różne skale wartości, ideały, różną wrażliwość. [23]

W Afryce w ogóle nie ma muzeów w europejskim rozumieniu. To są muzea, ale tylko z nazwy. Tam nic specjalnego się nie przechowuje. Nie ma tam w ogóle tego typu instytucji. Nie ma w tej kulturze, w tej tradycji w ogóle miejsca upamiętnienia typu: „Tu rozstrzelano...", „Tutaj powieszono...". Nie ma, to wszystko się zapomina. To w ogóle na czym innym polega, mamy do czynienia z zupełnie odmiennym od europejskiego modelem kultury. Zaczyna się od tego, że nieżywego trzeba natychmiast pochować. Pierwszym odruchem wobec tego, który został zabity bądź umarł, jest: natychmiast go zakopać. Nie ma więc tej znanej nam celebracji, przygotowania do pogrzebu...

Wiąże się to również z innym w Afryce stosunkiem do czasu, innym rodzajem jego traktowania i przeżywania. Jeżeli wspomina się czy rozpamiętuje jakiegoś przodka, to nie jak męczennika. A to dlatego, że ten człowiek ciągle żyje. Uczestniczy w życiu społeczności: przez swoje rady, przez to, że udziela nam kar czy nagan, słowem, jest przy nas i z nami. Znaczące jest, że często chowa się tych przodków bezpośrednio przy domu. Przy wielu afrykańskich domach są groby przodków, czasem się po nich chodzi. Bo ten przodek niby odszedł, ale jest. Bardzo ambiwalentna postać. Wobec czego nie można go całkowicie złożyć do niepamięci, bo on jednak funkcjonuje. Gdy zachorujemy, to znaczy, że zaniedbaliśmy jakichś naszych obowiązków wobec niego i on nam o tym przypomina. Przypomina o tym, że jest. [48]

To jest Afryka, po wybuchach następuje tu zwykle pojednanie. Proszę spojrzeć na Ugandę: po potwornej, krwawej wojnie domowej kraj dobrze się rozwija. Zresztą porody historii zawsze były krwawe, a historia niepodległej Afryki to historia zaledwie ostatnich trzydziestu lat.

Interesy nie są tu jeszcze ukształtowane, nie ma ustalonych hierarchii. Kiedy myśmy się rodzili jako cywilizacja, też mieliśmy swoje okrutne wojny trzydziesto- czy stuletnie. Poszczególne cywilizacje mają swój czas historyczny, własny sposób istnienia, własne tempo. Wszelkie próby przyspieszenia, chodzenia na skróty (przykładem – komunizm) kończyły się nieszczęściem. [59]

Okres zimnej wojny na tym kontynencie przebiegał bardzo dramatycznie. Dziś to, co sobie wówczas wyobrażano, wydaje się dziwne. Ale w okresie dekolonizacji, walki o niepodległość, nie znając dobrze Afryki, zakładano, że procesy tam zachodzące mogą się stać zalążkiem wielkiego konfliktu między mocarstwami, że może wybuchnąć tam trzecia wojna światowa.

Pamiętam, że kiedy w 1960 roku po raz pierwszy jechałem do Konga, w ówczesnej prasie światowej pisano o wielkim niebezpieczeństwie, jakie może się wiązać z konfliktem w tym państwie. Panowała nerwowa atmosfera, do akcji włączyła się Organizacja Narodów Zjednoczonych. Obawiano się najgorszego. Afryka kojarzyła się z czymś niebezpiecznym i niepewnym. W sumie spowodowało to, że w ten wiszący w powietrzu konflikt włączyły się Stany Zjednoczone i Związek Radziecki, a nawet Chiny. [40]

Wysyłano wojska do Afryki, by udowodnić wyższość nad globalnym wrogiem. Dziś nastąpił koniec świata bipolarnego. Po raz pierwszy od pięciuset lat, od czasów hiszpańskiej konkwisty, na całym świecie pozostało jedno tylko państwo zdolne do ogólnoplanetarnej dominacji: to, oczywiście, Stany Zjednoczone. A społeczeństwo amerykańskie nie jest do tej globalnej roli przygotowane. Amerykanie nie widzą dziś potrzeby wysyłania swoich synów, by ginęli za Somalię, Zair, Sarajewo czy Kabul. To paraliżuje amerykański rząd.

Pod koniec wieku dwudziestego obserwujemy w całym świecie zachodnim, świecie nasilonej konsumpcji, zjawisko zamykania się w getcie. Proces zupełnie odwrotny do tego z końca dziewiętnastego stulecia, gdy Europę cechowało dążenie do ekspansji. Jest wiele przyczyn współczesnego izolacjonizmu. Dzisiaj już nie obszar ani liczba terytoriów zależnych decyduje o międzynarodowej pozycji państwa, lecz potęga gospodarcza. [23]

Europa ma kłopoty. Jest niewydajna w prowadzeniu dynamicznej polityki zagranicznej, takiej jaką była szeroka obecność w Trzecim Świecie. Francuzi się starali, ale wedle bardzo archaicznych metod: próbowali prowadzić Afrykę jak własny folwark, a to już jest niemożliwe, te wszystkie bazy wojskowe i interwencje, jak w Ruandzie i ostatnio w Republice Środkowej Afryki, są kompletnym anachronizmem. Jej byłymi koloniami rządzili przywódcy, którzy kiedyś byli sierżantami kolonialnej armii francuskiej. Paryż rządził przy pomocy tych ludzi i oni się wszyscy skończyli albo się kończą, a Francja nie ma żadnego nowego pomysłu, co zrobić z Afryką. A nie ma go, bo brak jej po prostu środków. Potężne fundusze ma tylko Ameryka.

Wskutek rozwoju technologicznego świata Afryka przestała być dla potęg europejskich atrakcyjna ekonomicznie. Wiele takich samych bogactw mogą dostarczyć inne kraje Trzeciego Świata, a z drugiej strony, produkt europejski jest dla Afrykańczyka za drogi. Dochodzi do paradoksalnej sytuacji, że parasol polityczny zaczynają rozciągać Stany Zjednoczone, ale ekonomicznie wchodzą Chiny. Zalewają Afrykę tanim, groszowym produktem: koszulki, kapcie, sandały, ołówki, latarki; cały ten drobiazg, który w biednym życiu afrykańskim jest bardzo ważny i po raz pierwszy dostępny na tę nędzną kieszeń. To powoduje, że dla Europy nie ma miejsca w Afryce. [83]

To szczególne zjawisko – to tak, jak gdyby w ostatnich latach otworzyły się na nowo tradycyjne szlaki, sprzed kilku stuleci. Pierwsze szlaki handlowe, na długo przed pojawieniem się tutaj białych, łączyły Afrykę z Orientem – wybrzeże Oceanu Indyjskiego z Azją, z Półwyspem Arabskim i z Bliskim Wschodem. Tysiąc lat temu kupcy hinduscy i chińscy sprzedawali swoje towary w Somalii, w Mozambiku, w Kenii. Kultura azjatycka w widoczny sposób wpłynęła na religię, kulturę i handel Afryki. Te związki sprzed kilkuset lat odnawiają się dzisiaj, po roku 2000. [57]

Stary rynek staje się ponownie centrum organizacji regionu, choć przecinają go nowe granice, na które nikt poza skorumpowanymi celnikami nie zwraca większej uwagi.

Znaczy to, że w miejscu Afryki dzisiejszych pięćdziesięciu dwóch państw powstaje sto czy dwieście regionalnych struktur rynkowych, a państwo jak gdyby wypada ze struktury organizacji kontynentu. U nas też widzimy rozrastającą się wielość kultur, regionów, interesów, struktur językowych i religijnych, coraz bardziej samodzielnych, mających własne kontakty zagraniczne, na przykład w przypadku Chin biznesmeni amerykańscy i japońscy dochodzą do wniosku, że trzeba osobno zawierać kontrakty z każdą prowincją. Rząd centralny nigdzie już nie panuje nad sytuacją – wszędzie mamy tendencję do regionalizacji, ale – co ciekawe – nowa organizacja świata polega na tym, że te rosnące na dole regionalizacje na górze są splątane ponadnarodowymi instytucjami. Regiony więc nie szukają priorytetu we własnym państwie, traktują je jako obce swym interesom, szukają za to oparcia poza granicami, w anonimowych strukturach międzynarodowych. To idzie poprzez granice, języki, kulturę. Poprzez wszystko. Tworzy się zupełnie nowa wizja świata.

W miejsce starych struktur, opartych na państwie narodowym, rosną wielonarodowe instytucje integracji globalnej. Miałem możność dokładnego obserwowania tego zjawiska podczas ostatnich podróży po Afryce: jeszcze dwadzieścia lat temu mówiło się tam o neokolonializmie, o Anglii, Francji, o wielkich mocarstwach, jednym słowem – o tradycyjnych gospodarzach tego kontynentu. Dziś mało się o nich mówi, to są nieistniejący panowie, którzy odeszli.

Teraz w Afryce są całkiem nowi możnowładcy: Bank Światowy i Międzynarodowy Fundusz Walutowy, czyli instytucje ponadnarodowe. I o ile w czasach tamtych tradycyjnych panów można było ich wygrywać jednych przeciw drugim, zwłaszcza w okresie zimnej wojny, wyciągając środki dla siebie od jednych i drugich na zasadzie konkurencji, o tyle teraz mamy do czynienia z podmiotami anonimowymi, które stawiają warunki. Nie obchodzą ich też żadne rozgrywki polityczne. Oczywiście, decydujący głos mają w nich ci, którzy dysponują największymi pieniędzmi, ale rządzi tam już ponadnarodowa biurokracja, która ma swoje interesy. [39]

Kiedy w 1996 roku jeździłem po Afryce Zachodniej, dawnych koloniach Francji, zauważyłem wielką zmianę. W latach siedemdziesiątych każdy urzędnik, student, uczeń mówili po francusku, to było naturalne. Teraz równie biegle mówią po angielsku. Pytałem, dlaczego się uczą angielskiego. Odpowiadali bez zażenowania, że wtedy panami byli Francuzi, dziś panem jest Bank Światowy, a tam mówi się po angielsku. To jest przykład wielkiej zmiany, jaka dokonuje się wśród średniej klasy afrykańskiej. Ona orientuje się, że kapitał międzynarodowy jest w rękach amerykańskich i dobrze jest znać język, którym mówią bankierzy. [40]

Amerykanie, w przeciwieństwie do tradycyjnej europejskiej formuły kolonialnej, nie prowadzą bezpośredniej polityki na terenach swoich wpływów. Działają pośrednio – poprzez przeróżne instytucje: Korpus Pokoju, organizacje pozarządowe, kulturalne, oświatowe, Kościoły protestanckie, biznes, Bank Światowy i Międzynarodowy Fundusz Walutowy. To nie jest obecność Departamentu Stanu, lecz cała gama działań, i to bardzo elastycznych. To jest nowa jakość. [83]

Jeszcze coś istotnego, gdy idzie o Zair i nie tylko. Wskutek braku łączności, komunikacji wytworzyła się regionalna czy federalna struktura władzy. Państwa afrykańskie takie jak Zair mogą i chcą korzystać w tej mierze z rozwiązań prawnych i praktyki amerykańskiej. Afrykańskim warunkom geograficznym, historycznym i komunikacyjnym doskonale odpowiadają luźne, federalne struktury. [40]

Afryka jest bardzo biedna i długo będzie biedna. To kontynent o najsłabszych udziałach inwestycji światowych (około dwóch procent). Wielkie kapitały ograniczają się wyłącznie do eksploatacji złóż ropy naftowej, których w Afryce wciąż jest niemało. Zasadniczym problemem tego kontynentu jest oczywiście położenie klimatyczne. Walka Afrykańczyka o przetrwanie w tych warunkach jest już tak wielkim wydatkiem energii, że brakuje mu jej na działania długofalowe. W dwudziestym pierwszym wieku Afryka padnie ofiarą dwóch narastających problemów ludzkości – braku wody pitnej i drewna opałowego. Z wodą zawsze było w Afryce krucho, lasów ubywa, bo są rabowane, a drewno jest wywożone do Europy. Niestety, nic nie wskazuje na to, by ten kontynent miał wielkie szanse na rozwój. [65]

Afrykańczycy zmuszeni są borykać się z głodem, a ich życie toczy się od studni do studni. W Europie nie myśli się o piciu, bo wszędzie napoje są ogólnodostępne. Tam, jeśli się gdzieś jedzie, trzeba pomyśleć, czy będzie picie. Wszystko dokładnie obliczyć. Tak się przesuwać w podróży, żeby docierać od studni do studni. Jeśli się na czas nie dotrze, umiera się.

Woda musi być dostępna dla wszystkich. Albo piją wszyscy, albo nikt. Podobnie jest z jedzeniem. Nie wolno jeść w samotności. Nawet gdy obok nie ma rodziny, zaprasza się kogoś z ulicy. Tradycja wspólnego jadania jest tam tak silna, że nawet gdy dziecku da się cukierka, ono rozgryzie i podzieli się z innymi. Musi istnieć solidarność, bo inaczej się zginie. [44]

To jest życie na niskim poziomie. Życie, w którym choroba oznacza śmierć. Spanie w lepiance na ubitej glinie. Egzystencja w tych warunkach nie wynika z wyboru, lecz z braku innego wyjścia. Bieda jest zamkniętym światem. Żeby z niej wyjść, trzeba zastrzyku z zewnątrz – kapitału, fachowej siły, organizacji. [61]

Susza jest katastrofą rozłożoną w czasie, katastrofą pełzającą. Zjawia się niezauważona, a potem ustępuje niechętnie, nieraz po wielu latach, zostawiając po sobie pustynię, zrujnowane i opustoszałe wsie, leżące przy drogach szkielety ludzi i zwierząt, którzy zginęli z pragnienia i głodu.

Susza jest katastrofą, której rządy, panujące w tamtym świecie elity władzy boją się najbardziej, ponieważ ma ona swój wymiar polityczny, swoje bezpośrednie polityczne następstwa. Susza początku lat siedemdziesiątych ubiegłego wieku doprowadziła do upadku rządu cesarza Hajle Sellasjego w Etiopii i była przyczyną wojny między Etiopią i Somalią. Susza dała początek serii przewrotów wojskowych w dotkniętych tą klęską państwach Sahelu – Mali, Burkina Faso, Nigrze. Wielka susza przełomu lat siedemdziesiątych i osiemdziesiątych zdewastowała wiele krajów afrykańskich na południe od Sahary i zmieniła sytuację na całym kontynencie.

Dotąd w Afryce panował nastrój optymizmu, a nawet entuzjazm, wywołany zniesieniem kolonializmu, powszechną dekolonizacją i przekonaniem, że wolność niejako automatycznie przyniesie dobrobyt. Natomiast klęska suszy, która pochłonęła miliony ofiar i zniszczyła w dużym stopniu ekonomikę kontynentu, pozbawiła ludzi tej nadziei – klimat afrooptymizmu został zastąpiony afropesymizmem, a jego smutny ton daje się do dziś słyszeć w rozmowach o tej części świata.

Wspominam o tym wszystkim, ponieważ rzadko zdajemy sobie sprawę, że w Trzecim Świecie wielkie katastrofy spowodowane przez naturę albo przez działania człowieka mają charakter wielowymiarowy, bardzo złożoną i groźną naturę. Aby poprawić radykalnie sytuację zaistniałą po katastrofie, nie wystarczy przysłać żywność i koce. Pomoc i solidarność muszą objąć znacznie więcej dziedzin, pozornie nawet odległych, jak na przykład podniesienie poziomu administracji.

Myślałem o tym, jeżdżąc latami po obszarach Afryki porażonych katastrofą suszy i pisząc z nadzieją, że pomoże to obudzić świadomość moich czytelników żyjących w innych, dużo lepszych warunkach. Pamiętam, jak z wolontariuszami z organizacji pozarządowych jeździliśmy po pustyni Ogadenu, starając się odnaleźć zabłąkanych, a jeszcze żyjących somalijskich koczowników. Najczęściej byli to samotni mężczyźni. Ich kobiety i dzieci pomarły z pragnienia i głodu. Ich wielbłądy i owce dawno padły. Znalezionych zabieraliśmy do ciężarówki i wieźliśmy do obozu uchodźców. Tu każdy z nich dostawał jako pożywienie na cały dzień kilogram ryżu albo kukurydzy i trzy litry wody: do picia, gotowania, mycia i prania. [27]

To niezwykły fenomen: we współczesnym świecie pojawiła się nowa warstwa społeczna – uchodźcy, najczęściej chłopi, którzy w gromadach uciekają ze swych wiosek. Odtąd żywi ich wspólnota międzynarodowa. W Afryce opuszczone pola natychmiast zarastają. Uchodźca nigdy nie wraca – nie tylko dlatego, że nie ma do czego, że się boi. W obozie ma pożywienie, marne, bo marne, ale zapewnione. Natomiast jego wieś może nawiedzić susza, pożar, powódź – tam nigdy nie jest pewien jutra. Lecz przede wszystkim – obóz gwarantuje mu bezpieczeństwo.

Tak powstaje warstwa ludzi uzależnionych od pomocy, którzy będą uchodźcami już do końca życia. Uchodźca ma przecież przywileje: pomoc lekarską, szkołę, księdza, jakąś tam rozrywkę. Dostaje na miejscu wodę, po którą normalnie by musiał iść wiele kilometrów. [23]

Trzeba pamiętać, że na świecie jest dziś dwadzieścia milionów ludzi na wyłącznym utrzymaniu ONZ. I ta liczba będzie nadal rosła, bo na świecie toczy się obecnie siedemdziesiąt konfliktów zbrojnych.

Ale problemem nie jest żywność, która na świecie jest, problemem jest dowiezienie jej do miejsc, gdzie są potrzebujący ludzie. A nawet gdy już się tę żywność dostarczy, pojawiają się kolejne problemy na miejscu. Wojna w Sudanie, trwająca od czterdziestu lat, w wyniku której głoduje pięć milionów ludzi, jest podtrzymywana przez nas wszystkich. To my przez ONZ płacimy na tę wojnę. To my, nie chcąc skazać pięciu milionów na śmierć głodową, wysyłamy pomoc, która trafia w dziewięćdziesięciu procentach do miejscowych watażków. Ale innej metody nie ma. Trzeba żywić tych bandziorów, mając nadzieję, że przy okazji uda się uratować naprawdę potrzebujących. A pomoc jest także źródłem ogromnych zysków dla międzynarodowej skorumpowanej administracji i organizacji, które się tym zajmują. [67]

Głód w Rogu Afryki może być utrzymany pod kontrolą tylko tak długo, jak długo wystarczy żywności przywiezionej z Ameryki. Gdy skończy się ostatni worek kukurydzy, za każdym razem znów rozpoczyna się wielkie umieranie. Weźmy na przykład Somalię: tam – dosłownie! – nie ma nic! Jest tylko piasek, kamienie. Miliony głodujących skazane są na śmierć, a największa tragedia polega na tym, iż mimo że to wiemy, w zasadzie nic nie jesteśmy w stanie zrobić.

W przyszłości ratunkiem może się okazać tylko jakiś nowy wynalazek w dziedzinie uzyskiwania energii. Pozwoliłby on na odsalanie wód oceanów i irygację ogromnych pustynnych połaci. To jednak bardzo daleka perspektywa i nie wiadomo, czy kiedykolwiek się ziści. To ewentualny ratunek dla przyszłych pokoleń. Jednak dla tych, którzy już zaczęli umierać – a są ich miliony! – nie ma na razie żadnej nadziei. [75]

W Afryce ludzie bardzo ciężko pracują, są ciągle bardzo zajęci, ale zajęci nie tworzeniem, bo nie są na tym etapie rozwoju, lecz tym, jak przetrwać. Jeżeli weźmie się pod uwagę ten klimat, te warunki, ziemię, niską technikę, brak inwestycji, to okazuje się, że trzeba gigantycznego wysiłku ludzkiego, myśli, woli, ochoty, organizacji włożyć w to, żeby w ogóle przetrwać. To są warunki, w których bez tego olbrzymiego wysiłku człowiek zginie na drugi dzień. [69]

Ten kontynent jest całkowicie wyłączony z głównego nurtu rozwoju; nie daje żadnego wkładu do rozwoju ludzkości. Lecz przecież Afrykanie mają swą cywilizację, która pozwala im przetrwać. A więc Afryka ma swe miejsce na cywilizacyjnej mapie świata. Afryka również przetrwa i miejmy nadzieję, iż nadejdzie czas, gdy dołączy do głównego nurtu cywilizacji rozwoju. [16]

Wraz z zimną wojną kończy się cała generacja afrykańskich przywódców, bo Mobutu jest tylko symbolem; odchodzi cała ta generacja ludzi, która dochodziła do władzy często drogą przewrotów, zamachów stanu, popieranych i przez Francję, i przez Anglię. Na jej miejsce przychodzi nowe pokolenie, którego sztandarowym reprezentantem jest prezydent Ugandy Museweni.

To są ludzie ukształtowani na kontynencie afrykańskim, w odróżnieniu od pokolenia niepodległościowego, które zostało w całości wychowane w Paryżu, Londynie, Edynburgu, Bostonie. Nowi liderzy wyrośli w Afryce z miejscowych korzeni, tam się kształcili, robili kariery naukowe i polityczne, związani byli z życiem politycznym kontynentu. Oni teraz będą wykorzystywać to, że Afryka weszła w zupełnie nową fazę dziejów, które dotychczas były historią opresji w formie kolonialnej lub zimnowojennej, a teraz ma szansę – w zasadzie po raz pierwszy – ukształtować własne, w miarę samodzielnie, w miarę niezależnie, relacje. Na tym też polega istota tego, co się dzieje w Afryce. [83]

Afryka ma własną osobowość, czasami smutną, nieprzeniknioną, ale zawsze niepowtarzalną. Jest dynamiczna, agresywna. To mi się podoba. [53]

Laboratorium nowego wieku. Ameryka Łacińska

W 1967 roku w Polsce rozpoczął się dramatyczny okres – walki o władzę, rozpętanego antysemityzmu – którego punkt kulminacyjny nastąpił w marcu 1968 roku. Życzliwi mi szefowie w PAP zaproponowali, chcąc mnie z tego wyłączyć, żebym został stałym korespondentem w Ameryce Łacińskiej. Wyjechałem więc jesienią 1967 i spędziłem tam cztery i pół roku, do 1972. [70]

Pierwszy raz do Ameryki Łacińskiej pojechałem dwa miesiące po śmierci Ernesta Che Guevary i brutalnej likwidacji jego oddziału partyzanckiego w Boliwii. W 2001 roku byłem świadkiem pokojowego wkroczenia kolumny partyzantów z ruchu zapatystów do stolicy Meksyku. Obserwowałem to z bliska, przejmujący moment: ćwierć miliona ludzi na placu Konkwisty w sercu Meksyku oczekuje na wjazd partyzantów Marcosa. Ogłuszający huk bębnów, błyski świateł, helikoptery, gromkie wiwaty, emocje tłumu. Niesamowite to wszystko.

W ten oto sposób moje doświadczenia latynoamerykańskie spinają dwa symboliczne wydarzenia: ponad trzydzieści lat temu – rzeź ludzi, którzy chcieli zmieniać świat na lepsze, którzy walczyli w imię sprawiedliwości; i teraz – wejście do stolicy Meksyku ich spadkobierców, którzy mogą walczyć pokojowymi metodami, głosić swoje postulaty na głównym placu miasta, na tle pałacu prezydenta republiki. [77]

W latach gdy Che Guevara miał swój oddział w Boliwii, pracowałem w Afryce jako korespondent. Potem, po jego śmierci, byłem w Boliwii. Przez cały ten czas obcowałem z nim jako z pewnym rodzajem mitu. Do dziś ta postać ciągle utrzymuje się w pamięci i świadomości, powstaje dużo książek na jego temat. Tym bardziej że otwarto wiele archiwów, wiele faktów ujawniono. To bohater młodzieży latynoamerykańskiej. [1]

Ta partyzantka – a przejechałem potem całą tę trasę, przetłumaczyłem *Dziennik z Boliwii* Che – nie miała, oczywiście, żadnej szansy. Oparta była na błędnej koncepcji, reszta była już tylko konsekwencją. A był to błąd intelektualnej lewicy przekonanej, że masy są postępowe i że wystarczy tylko zapalić lont, a wszystko wybuchnie. To klasyczny motyw myślenia inteligencji latynoamerykańskiej i mentalności tej inteligencji, której główną cechą była kompletna nieznajomość swojego społeczeństwa. Wiara w doktrynę była tak wielka, że żadne realia nie były w stanie jej podważyć – wokół mogli ginąć ludzie i oni tego nie dostrzegali.

Opisałem jedną z takich historii w *Chrystusie z karabinem na ramieniu*. Oto w Boliwii – byłem przy tym, byłem świadkiem tej strasznej tragedii – grupa synów generałów rządzących twardą ręką, niesłychanie krwawo, po to by oczyścić się moralnie, stworzyła oddział partyzancki. I pojechali walczyć, i zginęli z rąk chłopów. Bez jednego strzału całą tę partyzantkę zlikwidowano. Udział wojska w likwidacji ognisk partyzanckich był minimalny, one w gruncie rzeczy same wyginęły. Dlatego że tam szli ludzie z inteligencji, z dobrych domów, którzy nie znali strasznych realiów Ameryki Łacińskiej, prowincji latynoamerykańskiej. Tam jest głód, nie ma co jeść, nie ma wody... Oni po prostu nie mieli gdzie iść, tam są potężne góry Andy, trudne do pokonywania, bardzo strome. Na dodatek są to góry odkryte, więc gdy przychodzi dzień, południe, to pojawia się koszmarne słońce, pragnienie... Sam klimat skazuje zatem wszystkie tego typu poczynania na zagładę.

Ale, powiadam, podstawowym źródłem niepowodzeń jest stan świadomości tych ludzi. Zresztą jest to wszystko bardzo chrześcijańskie, oni idą się oczyścić, wyzwolić się z grzechów ojców, odkupić ich winy. Jest w tym wszystkim bardzo silny element mistyczny, idealistyczny. I oni wszyscy, oczywiście, giną, bardzo młodzi ludzie, bardzo piękni, bardzo szlachetni, inteligentni. [69]

Boliwia jest to jeden z najbardziej tragicznych krajów, jakie widziałem w swoich wędrówkach po świecie. Ludzie, którzy znają Amerykę Łacińską z pocztówek albo z łatwych opisów, nie są w stanie wyobrazić sobie nędzy, jaką można tu spotkać. Problem polega na tym, że świadomość społeczna, poczucie krzywdy i wola walki rodzą się w człowieku dopiero na pewnym poziomie egzystencji. Poniżej tego poziomu nędza nie rodzi, lecz zabija świadomość. Z taką sytuacją miał do czynienia Guevara. [30]

Naturalnym terenem działań partyzanckich jest wieś. Bazą społeczną ruchu partyzanckiego jest chłopstwo. Wojnę rozpoczyna mały oddział partyzancki (od trzydziestu do pięćdziesięciu ludzi), składający się z doświadczonych i wypróbowanych bojowników gotowych na wszystko. Działalność tego oddziału, jego walka, jego przykład przyspieszą dojrzewanie świadomości chłopstwa. Chłopi zaczną wstępować do partyzantki – mały oddział przekształci się w armię – armia zdobędzie władzę i przeprowadzi rewolucję.

Partyzantka boliwijska była próbą wcielenia tej teorii w życie.

Stąd w *Dzienniku z Boliwii* Guevary stałe wyczekiwanie na udział chłopa, stale podsycana wiara, że tym chłopem coś wstrząśnie, coś nim poruszy, i że chłop się przyłączy. W rzeczywistości nie przyłączył się nikt. Streszczona powyżej teoria rewolucji – obok wielu dyskusyjnych założeń – zawiera jedną zasadniczą sprzeczność: mały początkowy oddział partyzancki staje zawsze wobec trudnego dylematu: z jednej strony, aby przetrwać, musi ukrywać się w miejscach najbardziej bezludnych, z drugiej – walcząc na bezludziu, nikogo nie przyciąga, jest odcięty od bazy. W takiej właśnie sytuacji znajdował się przez cały czas oddział Guevary. Ponieważ wiosną 1968 roku przeszedłem szlakiem tego oddziału, znam tereny, na których walczył Che. Są to wielkie pustkowia, wieś od wsi dzielą dziesiątki kilometrów. Gdzieniegdzie jakaś chata albo dwie–trzy chaty i znowu można maszerować godzinami i nie napotkać śladu ludzkiego życia. Jakim hasłem można przyciągnąć mieszkającego tu chłopa? Ziemi ma tyle, ile zdoła uprawić. Trudno mu tłumaczyć, że jego kraj wyzyskują banki amerykańskie, bo nie wie on, co to jest bank. Trudno go przekonać, że ma reakcyjnego prezydenta, bo nawet nie zna go z nazwiska. [30]

Żołnierze boliwijscy, którzy 8 października 1967 roku rewidowali plecak Che Guevary, znaleźli w nim dwa kalendarze formatu książkowego, zapisane strona po stronie. Żaden z żołnierzy nie umiał czytać. Po rewizji oddali kalendarze dowódcy swojego oddziału – porucznikowi Gary'emu Prado, który kilka godzin przedtem wziął do niewoli rannego Guevarę. Porucznik przekazał kalendarze sztabowi dywizji. Zawierały one tekst dziennika, który Guevara prowadził przez wszystkie dni swojej ostatniej epopei. Dziennik stanowił cenną zdobycz i wiele wydawnictw o światowej sławie zaczęło się ubiegać o prawo pierwodruku. Ale w międzyczasie ówczesny minister spraw wewnętrznych Boliwii, Arguedas, w sensacyjnych okolicznościach przekazał fotokopię dziennika rządowi Kuby. W dziewięć miesięcy po śmierci Che ukazało się w Hawanie pierwsze książkowe wydanie jego zapisków boliwijskich. Wydawnictwo kubańskie dało im tytuł: *Dziennik z Boliwii*.

„Dziś zaczyna się nowy etap". To pierwsze zdanie *Dziennika* stanowi zarazem komentarz do filozofii politycznej Guevary. Che traktował kampanię boliwijską tylko jako jeden z etapów wielkiego procesu rewolucyjnego, który przeżywa Ameryka Łacińska i szerzej – kraje Trzeciego Świata. Nie liczył na łatwe zwycięstwo w tej kampanii. W rozmowie z Mario Monje – tylko częściowo zrelacjonowanej w *Dzienniku* – Guevara mówił, że zwycięstwo partyzantki boliwijskiej może nastąpić za piętnaście–dwadziescia lat. Sam zresztą nie sądził, że dożyje tej chwili. (Guevara zginął, mając trzydzieści dziewięć lat). Przyjaciel Guevary Ricardo Rojo w swojej książce *Mi amigo, Che* wspomina, że już w roku 1961 Guevara mówił mu, iż jest pogodzony z myślą o bliskiej śmierci. O tym samym świadczą jego listy napisane przed wyjazdem do Boliwii. Uważał, że bardziej niż haseł i manifestów rewolucja potrzebuje osobistego przykładu i że gotowość na śmierć powinna cechować każdego bojownika. Jeden z ludzi, którzy znali go z okresu boliwijskiego, powiedział mi kiedyś: „Che wiedział, że tutaj zginie, ale mówiąc o walce, którą trzeba podjąć, uważał, że ktoś musi zacząć".

Warto pamiętać o tym, czytając *Dziennik z Boliwii*, ponieważ jest to notatnik dowódcy oddziału osaczonego, notatnik człowieka, który co najmniej przez sześć ostatnich miesięcy życia prowadzi już walkę beznadziejną, który wie, że mógłby się ocalić, składając broń, ale ani przez chwilę nie rozważa tej możliwości, przeciwnie – idzie dalej, upada, podnosi się i idzie dalej; ostatnich stron *Dziennika* nie rozjaśnia już żadna nadzieja, obręcz zaciska się coraz bardziej, widzi, jak giną jego ludzie, widzi, jak uciekają, jest coraz bardziej sam, dławiony astmą, przygniatany ciężarem ogromnego plecaka, w którym jest pełno książek, zagłodzony, z czyrakami na nogach, w obcym, zdradliwym terenie, gdzie nie wiadomo, dokąd pójść, w miejscu bardziej odciętym od świata, niż gdyby się było na Księżycu, bez szansy na żadną pomoc, sam wobec świadomości końca, którą musiał mieć, bo tego, co pozostało, nie było już wiele – kilka kilometrów marszu, pistolet bez amunicji, ostatnia chwila radości, że „dzień upłynął sielankowo", ostatnia noc, ostatni wąwóz, ostatni strzał. [30]

Śmierć Guevary, a potem cały ruch protestu 1968 roku zamykają etap niesłychanie gwałtownej i krwawej konfrontacji między siłami opozycji – która przybierała formę walki zbrojnej, ruchów partyzanckich z udziałem chłopstwa – a elitami rządzącymi, w dużej mierze zdominowanymi przez wojskowych. Bo lata sześćdziesiąte w Ameryce Łacińskiej to czasy wojskowych dyktatur. Jedni z nadzieją, a inni ze strachem oczekiwali wówczas, że powtórzą się dwie, trzy, cztery rewolucje kubańskie, że nastąpi efekt domina i cały region stanie się castrowski. [77]

Pamiętam, co się działo wokół Fidela Castro trzydzieści lat temu. Pamiętam jego przylot do Santiago de Chile na początku lat siedemdziesiątych, po zwycięstwie Salvadora Allende. Ta podróż wywoływała napięcia w całym regionie – euforię jednych, przerażenie drugich. Gdyby dzisiaj Castro podróżował po Ameryce Łacińskiej, byłaby to zwykła podróż jednej z głów państwa, nic więcej, może trochę koloru, malowniczości. A wtedy na skinienie Fidela cały kontynent wstrzymywał oddech.

Dzisiejszy spór o Kubę ma wymiar przede wszystkim wewnątrzkubański – to znaczy jest to konflikt między Kubańczykami z Florydy i Kubańczykami z Hawany. Kuba znów stała się małą, niewiele znaczącą wyspą na Morzu Karaibskim. [77]

Jako że moja agencja nie należała do bogatych, obsługiwałem całą Amerykę Łacińską. Dla kontynentu był to okres bardzo napięty: ruchy bojówek, zamachy stanu. A ja cały czas musiałem podróżować. Ameryka Łacińska była wówczas jak dynamit. [71]

W Chile i w innych krajach Ameryki Łacińskiej poruszenie było ogromne. Niedawno zabili Che. Był on obecny wszędzie. Nawet w mieszczańskich salonach, na zdjęciach. Oczywiście, jeszcze teraz jest on obecny w salonach i na zdjęciach. Czysty, nieszkodliwy folklor. Jak już powiedziałem, było wtedy bardzo niespokojnie. W Ameryce Łacińskiej dużo się dyskutuje. Wówczas tylko się dyskutowało. [63]

Gdyby nawet nic z ruchu 1968 roku nie zostało, to ta wola młodych, by zmienić świat, była rzeczywistym faktem. Niezaprzeczalnym faktem! Być może nic się nie zmieniło. Ale nigdy potem już się to nie powtórzyło. Wiara tak powszechna jest faktem historycznym. Bo normalnie ludzie śpią. Wtedy obudzili się. Co więcej, nigdy dotychczas establishment nie czuł się tak niepewny i tak zagrożony. Możni nie rozumieli, co się dzieje. [63]

Rok 1989 ma o wiele mniejsze znaczenie jako ruch niż 1968 rok. W 1989 roku zawalił się gmach, który był już pusty. Zmarł ktoś, kto był umierający. Taki kraj jak Ukraina, liczący przeszło pięćdziesiąt milionów mieszkańców, nie mógł zdobyć niepodległości za jednym razem. Co to znaczy? To, że rok 1989 był tylko małym, końcowym pchnięciem w ruchu, który zaczął się o wiele wcześniej i na który miały też wielki wpływ wydarzenia 1968 roku. [63]

Prości ludzie próbowali zmienić istniejący porządek, organizując guerrillę. Były walki uliczne, porwania.

W Brazylii mniej niż w hiszpańskojęzycznej Ameryce Łacińskiej. Jak na standardy południowoamerykańskie, Brazylia zawsze była stosunkowo spokojna. Tu i dyktatury były łagodniejsze, i ruch rewolucyjny był bardziej pokojowy. [14]

W kulturze portugalskiej procesy społeczne mają łagodniejszy przebieg. W korridzie hiszpańskiej byka się zabija, w portugalskiej – nie. W Brazylii nie ma hiszpańskiej drapieżności. Oczywiście, w Amazonii mordują bezbronnych Indian. Oczywiście, dyktatura wojskowa bywała brutalna. Ale to społeczeństwo jest nieporównanie łagodniejsze niż społeczeństwa Boliwii, Kolumbii czy Peru. [14]

W Ameryce Łacińskiej scena polityczna podzielona jest na dwa obozy – wojskowych i cywili. Historia tych krajów to ciągłe zmaganie się tych grup. Poza tym armie są tam potężnymi właścicielami. W Ameryce Łacińskiej *gros* własności ziemi to ogromne latyfundia, zatrudniające rzesze półniewolników. W państwach tych istnieje poza tym silnie rozwinięty kolonializm wewnętrzny – wykorzystywanie rejonów biednych przez regiony lepiej rozwinięte. Miasta slumsów otaczają wszystkie stolice w Ameryce Łacińskiej. [2]

Cechą charakterystyczną wielu reżimów Ameryki Łacińskiej są naprzemienne rządy wojskowe i cywilne. Historycznie rzecz ujmując, taka zmiana dokonywała się co cztery do ośmiu lat przez ponad wiek. Wyjątkiem było Chile, gdzie po długim panowaniu rząd cywilny został zastąpiony – także na długie lata – przez wojskowych. [31]

Jest pewna granica kosztów historycznych – tą granicą jest dla mnie zadawanie tortur, wysyłanie na śmierć. Dla tak zwanych rządów autorytarnych można szukać uzasadnień w kulturze danego społeczeństwa, ale tam gdzie wchodzi w grę mord, zabójstwo, nie znajduję żadnego usprawiedliwienia. Ja w Chile byłem, to naprawdę było straszne. Pinochet jest odpowiedzialny za śmierć tysięcy ludzi... A nade wszystko – w warunkach systemu chilijskiego przewrót nie był konieczny.

Chile było jednym z niewielu krajów Ameryki Łacińskiej, które miały przeszłość czysto demokratycznego systemu, typu Europy Zachodniej, to znaczy – wolne wybory, partie polityczne. W normalnych wyborach wygrał niewielką liczbą głosów Allende. I właśnie nadchodził czas następnych wyborów, które Allende na pewno by przegrał – taki musiał być efekt bojkotu ekonomicznego, dezorganizacji. Była to kwestia roku, nie było zatem żadnego problemu z tym, żeby kontynuować stupięćdziesięcioletnią tradycję demokratyczną. Przewrót uzasadnia tylko i wyłącznie lęk przed powtórzeniem przypadku Kuby. Ale to był lęk nie chilijski, lecz amerykański. I Pinochet dokonał przewrotu w interesie – tak jak go wówczas rozumiano – Stanów Zjednoczonych Ameryki Północnej.

Powtarzam, nic nie uzasadniało tego przewrotu, rząd Allendego był demokratycznie wybrany, był parlament, wolna prasa, wszystkie partie polityczne działały, nie było więźniów politycznych. A przy tym przewrót, który był absolutnym zaskoczeniem dla wszystkich, którego żadna logika wewnętrzna sytuacji nie usprawiedliwiała, był niezwykle okrutny, potwornie represywny. Tłumy ludzi spędzonych na stadion, trzymanych tam w upale; straszna policja, straszne wojsko, szkolone przez pruskich oficerów. Do dziś dnia to wojsko ma pruskie hełmy, pruski dryl... Naprawdę niezwykłe okrucieństwo, nawet jeśli brać pod uwagę standardy latynoamerykańskie. [69]

Rok mieszkałem w Chile. Później cztery lata w Meksyku. Odwiedziłem wszystkie kraje Ameryki Łacińskiej, z wyjątkiem trzech: Salwadoru, ponieważ wszystkich korespondentów, którzy pisali o wojnie, uznając też racje Hondurasu, uznano za *personas non gratas*; Paragwaju Stroessnera i Argentyny Videli. [20]

Z Meksykiem łączy mnie wiele wspomnień, dlatego że mieszkałem tu cztery lata. Przyjechałem w 1968, podróżowałem po różnych częściach kraju i późnej, po roku 1972, kiedy już tu nie mieszkałem, wiele razy wracałem. To jeden z najbardziej ukochanych i najlepiej poznanych przeze mnie krajów. Meksyk nie jest dla mnie krajem abstrakcyjnym. Pisałem o nim wiele razy. W mojej *Wojnie futbolowej*, w *Lapidarium*. Czuję się obywatelem Meksyku. To deklaracja mojej miłości, tyle chcę powiedzieć. [71]

Gdy tylko trafiłem do Ameryki Łacińskiej, zwróciłem uwagę, że futbol przeżywa się tu niezwykle głęboko. Gdy Meksyk wygrywa mecz, po stolicy krążą tysiące samochodów, a kierowcy niezmordowanie trąbią. Trwa to do świtu, więc nie ma co myśleć o drzemce. Z kolei od rana jedynym tematem rozmów są kontrowersyjne sytuacje, zasługi napastników, bramkarza czy rozgrywającego. Oczywiście, coś podobnego można zaobserwować w Europie, powiedzmy, we Włoszech, ale nie na taką skalę. [43]

W czasie mundialu w Meksyku w 1970 roku wszystko odbywało się według klasycznych standardów latynoamerykańskich. Choćby te kociokwiki, jakie meksykańscy kibice robili pod oknami hoteli, w których mieszkali piłkarze drużyn mających następnego dnia grać mecz z Meksykiem. Chodziło o to, żeby nie dać im zasnąć, żeby zasypiali na boisku i łatwo dali się pokonać. To było szaleństwo. Te nieszczęsne drużyny wożono potajemnie do różnych hoteli, żeby mogły się trochę zdrzemnąć. Tak przebiegał cały mundial.

Pamiętam, że pierwszy mecz gospodarze grali z ZSRR i przerażeni publicznością Rosjanie robili wszystko, żeby tego meczu nie wygrać. Meksyk zdobył punkt i była ta całonocna fiesta, jaką mało które europejskie miasta by wytrzymały. Kilka milionów samochodów w Ciudad de México pędziło ulicami, nie oszczędzając klaksonów. I nikt się z tego powodu nie złościł.

Trzeba pamiętać, że latynoskie drużyny mają inną siłę napędową. To są wszystko chłopcy z bardzo biednych dzielnic, nazywanych w Brazylii *favele*, a w Chile *callampas*. Wszyscy tam grają szmaciankami, a nawet pomarańczami, bo nie stać ich na piłkę. Dla takiego chłopca wybicie się na narodowego idola to nieprawdopodobnie wielka rzecz. I jedyna dostępna droga kariery. Cała rodzina go w tym wspiera. A potem cała ulica i cała dzielnica. Potencjał motywacyjny latynoskiego piłkarza jest nieporównywalny z potencjałem piłkarzy europejskich. [3]

W Brazylii piłka nożna jest drugą religią, i to wcale nie jest przenośnia. Brazylijskie społeczeństwo powstało z połączenia kultury katolickiej z afrykańską. Afrykanie przeżywają świat jako fenomen religijny.

My czasem mylimy liturgię i przynależność do Kościoła z wewnętrzną religijnością. A to dwie różne rzeczy. Można nie chodzić do kościoła, a bardzo religijnie przeżywać świat. To jest bardzo afrykańskie.

Futbol jest więc dla Brazylijczyków religijną i narodową wartością. Jest formą liturgii. Tłum, który w Rio de Janeiro idzie na słynny stadion Maracanã, jest w takim nastroju, jakby szedł do kościoła odprawiać jakieś misterium. Gdy ktoś pisze, że Chrystus spuszczał nogę, to nie widzi w tym nic śmiesznego, karygodnego czy świętokradczego. On tak to przeżywa.

Zobaczmy, jak Brazylijczycy płaczą po porażce. Czy można sobie wyobrazić tak szlochających kibiców w Polsce? [3]

W Ameryce Łacińskiej przegrana w meczu nieraz już prowadziła do obalenia rządu. Więcej nawet: do konfliktu zbrojnego. Byłem tego świadkiem w 1969 roku, kiedy Salwador napadł na Honduras. Poszło o wynik eliminacji mistrzostw świata w Meksyku w 1970 roku. Z futbolem zawsze związany jest potencjalny dramat, konflikt. Taka już jest natura tej gry. [43]

W takim klimacie wybuchła ta wojna, jako jeden z ostatnich zrywów potężnych salwadorskich właścicieli ziemskich w obronie swoich interesów – słynnych czternastu rodzin, które sprawowały kontrolę nad całym krajem.

Salwadorczycy obawiali się honduraskiej emigracji, gdyż byli zdania, że biedni hondurascy wieśniacy mogą należeć do agentów Castro, których miał on w Salwadorze i którzy mieli służyć mu do szerzenia rewolucji. Siły zbrojne Salwadoru starały się kontrolować ruchy honduraskich wieśniaków, ale okazało się to niemożliwe z przyczyn geograficznych i z racji posiadania niedostatecznej ilości sprzętu, tak więc przepływ ludności trwał. Cała Ameryka Środkowa była bardzo biedna. Tegucigalpa była małym i bardzo biednym miastem.

W takiej atmosferze doszło do wybuchu tej wojny. Choć nie trwała długo, była to wojna bardzo okrutna. Pamiętam samoloty przelatujące nad głowami i zrzucające bomby. Obydwa kraje miały raptem jeden–dwa samoloty, co sprawiało, że chociaż tragiczna, na swój sposób była to sytuacja niezwykle groteskowa. [71]

Historia zna wiele przypadków, kiedy stadion piłkarski zmieniał przeznaczenie. Pinochet podczas przewrotu w Chile przekształcił stadion w Santiago w obóz koncentracyjny, gdzie ludzie nie dostawali nawet wody. Widziałem to na własne oczy.

Stadion jest bardzo wygodnym miejscem do zamienienia go na więzienie. Zamyka się te parę wejść i koniec. Wiele dyktatur wpadało na ten pomysł. Choćby Amin. Dzisiaj do egzekucji wyzyskuje się stadion między innymi z kibicami. Robi się przewrót i trzeba zamknąć w parę godzin parę tysięcy ludzi. Gdzie ich umieścić? O wyborze stadionu decydują względy praktyczne, a nie symboliczne. [3]

Każde społeczeństwo latynoamerykańskie ma swoje problemy i dramaty. Na przykład Kolumbijczyków dotyka straszliwy dramat wojny domowej toczącej się nieprzerwanie od czterdziestu lat. I ta wojna właściwie cały czas się pogłębia, rozszerza. Teraz konflikt jest wielostronny. Nie wnikając w detale, są tam co najmniej trzy strony.

Jedną jest bardzo silna partyzantka komunistyczna, która kontroluje właściwie połowę kraju. To znakomicie uzbrojona i świetnie zorganizowana guerrilla. Druga strona konfliktu to armia kolumbijska, wspierana coraz mocniej sprzętem, instruktorami przez armię USA. A trzecią siłą, która rośnie z każdym rokiem, stają się *paramilitares*, czyli faszyzujące szwadrony śmierci, toczące własną wojnę z lewicową guerrillą. To ludzie wynajmowani często przez wielkich właścicieli ziemskich, wielkie korporacje. Ich „walka" polega głównie na mordowaniu ludności cywilnej podejrzanej o sympatie do lewicowych partyzantów. *Paramilitares* samozwańczo oceniają, kto jest komunistą, kto współpracownikiem i tak dalej. W ten sposób pacyfikują całe wielkie regiony Kolumbii. I nie widać z tego żadnego wyjścia, żadnego ratunku. [77]

Zupełnie inne są dramaty takiego kraju jak na przykład Argentyna. Pośród Argentyńczyków wciąż żywa jest pamięć bezprawia i „brudnej wojny" z czasów dyktatury wojskowej 1976–1983. Ciągle nie odnaleziono tysięcy zaginionych, a wojskowi milczą. Historia Argentyny, a także Chile czy Urugwaju ma wiele takich czarnych dziur.

Z kolei szok, jaki przeżywali w 2001 roku Peruwiańczycy, był spowodowany całkowitym rozpadem władzy centralnej, wielkimi oszustwami i korupcją, która przeżarła kraj. Do tego skrytobójstwa, przestępcza działalność władzy, handel bronią i narkotykami. Nagle

Peruwiańczycy ujrzeli, że ich państwem rządził przestępca Vladimiro Montesinos, który korumpował i szantażował całą klasę polityczną.

Ogólnie powiedziałbym, że kłopoty i dramaty Latynoamerykanów płyną z dwóch źródeł: po pierwsze – z dużej słabości państwa, z jego militarnej i represyjnej przeszłości, i po drugie – z nierówności społecznych i etnicznych.

Chciałbym jednak zwrócić uwagę na coś szalenie pozytywnego. Mam w tej chwili przed oczami obraz Ameryki Łacińskiej jako kontynentu w trakcie jakiejś nowej, pokojowej rewolucji. Owszem, ciągle występują niepokojące nierówności, przemoc, ale jednocześnie mam wrażenie, że region wychodzi z wielkiej zapaści, którą tam widziałem na przełomie lat sześćdziesiątych i siedemdziesiątych, a która w literaturze obrodziła powieściami o skorumpowanym państwie latynoamerykańskim, o okrutnych dyktatorach. [77]

Gdy porównuję Amerykę Łacińską dziś z tą, którą poznałem trzydzieści lat temu, to widzę ogromny postęp. Z wyjątkiem Kolumbii cała Ameryka Łacińska żyje w warunkach pokoju. Usunięto najbardziej krwawe i odpychające dyktatury – w Argentynie, Chile. Po siedemdziesięciu jeden latach upadł podły reżim monopolu partyjnego w Meksyku. Prawie wszędzie mamy demokrację. Pojawiła się niespotykana w regionie tendencja do pokojowego rozstrzygania konfliktów. Nie ma wielkich konfrontacji ani krwawych wojen, ani dyktatur. Słowem: nie ma tego wszystkiego, co charakteryzowało kontynent przez tyle dziesiątków lat. Dla mnie to oznaki niebywałego postępu w sferze politycznej. [77]

Dyktatury nie mają dziś szans. Wyrazem pokojowego nastroju społeczeństw jest również i to, że od dawna nie mamy na świecie żadnych nowych dyktatur. Czterdzieści–trzydzieści lat temu świat był pełen policyjno-wojskowych reżimów. Dziś autorytarna i dyktatorska forma rządów staje się coraz bardziej anachroniczna.

Wszędzie też spada rola armii w życiu politycznym kraju. Trzydzieści czy dwadzieścia lat temu w wielu krajach, zwłaszcza latynoamerykańskich i afrykańskich, to armia decydowała, kto będzie rządził, a jeśli nikt się armii nie podobał, to sama przejmowała władzę. W Argentynie, gdzie panuje głęboki kryzys, pytałem moich rozmówców, czy w razie wstrząsów wojsko może raz jeszcze wkroczyć na scenę polityczną. Usłyszałem w odpowiedzi, że wojsko nie miałoby nawet na paliwo do wozów bojowych i czołgów. Pucz wojskowy, którego próbowano wiosną 2002 roku w Wenezueli, nie powiódł się. Ten kraj ma inny dramatyczny problem, niemniej próba wejścia wojska na scenę zakończyła się fiaskiem. Zaczyna być regułą, że wojskowi, którzy mają ambicje polityczne, odchodzą z wojska. To także przypadek pułkownika Hugona Cháveza z tejże Wenezueli, jak również prezydenta Ekwadoru Lucio Gutiérreza.

Nie ma dziś zatem pogody dla wojskowych rządów. Niemal wszędzie wojsko jako uzbrojona partia polityczna zostało zmarginalizowane, utraciło rolę polityczną. A to znaczy, że w skali światowej utraciła znaczenie instytucja, która z natury jest hierarchiczna, dyktatorska, autorytarna. To również ważne dla umacniania się tendencji demokratycznej. [4]

W październiku 2002 roku obserwowałem wybory prezydenckie w Brazylii, które wygrał były działacz związkowy, lewicowy polityk znany w całej Ameryce Łacińskiej – Luiz Inácio „Lula" da Silva.

To bardzo pozytywny przykład pokojowej wymiany elit – tym bardziej że dokonuje się w społeczeństwie straszliwie nierównym, które żyło ponad dwadzieścia lat pod dyktaturą, które miast tradycji demokratycznej miało długą tradycję autorytarną. I to społeczeństwo potrafi zachować się dzisiaj pokojowo i demokratycznie. To było jedno z najważniejszych wydarzeń w świecie w 2002 roku. [4]

W Ameryce Łacińskiej tworzą się stowarzyszenia sąsiedzkiej pomocy, stowarzyszenia reprezentujące interesy domu, bloku, ulicy, dzielnicy. Byłem kilka lat temu w Buenos Aires. Te stowarzyszenia wciąż się rozwijają. Argentyna przeżywa totalny kryzys partii peronistowskiej, partii radykalnej, i rozkwit czegoś, co nie ma jeszcze politologicznej czy socjologicznej nazwy. Podobny ruch rozwijał się w Brazylii w czasie kampanii wyborczej „Luli", podobny występuje w Wenezueli, taką tendencję dostrzegam też w rozmaitych ruchach indiańskich w Peru, Ekwadorze. Jest to dla mnie bardzo optymistyczne, bo oznacza umacnianie się społeczeństwa obywatelskiego, czego nigdy w Trzecim Świecie nie było, a na pewno nie w takiej skali. [4]

Pokolenia wchodzące w dwudziesty pierwszy wiek odrzucają tradycyjną politykę. Zabiera głos jakieś inne społeczeństwo. Takie, które nie chce wybierać między jedną a drugą grupą polityków. Jest to głos społeczności zrozpaczonej, ludzi, którzy nie widzą dla siebie perspektywy. [66]

W Ameryce Łacińskiej kwestia etniczna jest ściśle związana z kwestią społeczną, klasową. Indianin nie buntuje się dlatego, że jego „indiańskość" jest zwalczana, lecz protestuje przeciw nierówności, wyzyskowi. Jemu chodzi o to, że nie ma żadnych możliwości awansu, nie ma dostępu do nauki, do środków komunikacji. I nie widzi szans na zmianę swego położenia.

Na całym tym ogromnym obszarze od południa Meksyku po krańce Ameryki Południowej nierówności mają swoje kolory: biały jest na ogół człowiekiem zamożnym czy średnio zamożnym, bieda jest kolorowa. W Ameryce Łacińskiej nie da się rozdzielić kwestii etnicznej od społecznej. One się na siebie nakładają. [77]

W 2002 roku byłem w Peru. W pewnej małej wiosce w Andach sfotografowałem następującą sytuację: pewna stara Indianka schodziła z góry, niosąc ze sobą pięć jajek, które chciała sprzedać. Zatrzymała się przy drodze, nie widząc, w jakim miejscu się znajduje; zapewne nie umiała czytać ani pisać. Usiłowała więc sprzedać te pięć jajek przed jedną z kafejek internetowych rozsianych po całym świecie. Ten straszny, tragiczny kontrast jest odpowiedzią dla tych, którzy uważają, że za pomocą technologii można rozwiązać problem nierówności w społeczeństwie. To są problemy kultury, świadomości, nauk społecznych. Ale myślę, że gromadzimy siły, które próbują zmienić tę sytuację powiększających się dysproporcji. [71]

Mimo istnienia dużych obszarów nędzy dostrzegam też coś, co nazwałbym ogólnym rozwojem. Trzydzieści lat temu obszary nędzy były nieporównanie większe, a ona sama miała wymiar bardziej dramatyczny. Oczywiście, istnieje problem ogromnych kontrastów, na przykład między dużymi skupiskami miejskimi a prowincją, peryferiami. Następne kontrasty to te, które występują w samych wielkich miastach. Luksusowe dzielnice klasy średniej i wyższej sąsiadują ze slumsami, w których panują przerażające niekiedy warunki życia, ale chcę zarazem podkreślić, że jest to dzisiaj uniwersalny kłopot wszystkich wielkich miast świata, może z wyjątkiem miast europejskich. To już nie jest specyfika Ameryki Łacińskiej.

Widzę też ogromny postęp w dziedzinie komunikacji. Dziś całą Amerykę Łacińską można przejechać autobusem, i to bardzo łatwo. Kiedyś było to nie do pomyślenia – nie istniało po prostu tyle dróg. [77]

Pierwszym elementem zachodzących zmian jest przedefiniowanie stosunków pomiędzy Stanami Zjednoczonymi a Ameryką Łacińską. Przez długi okres były to stosunki oparte, zwłaszcza w wypadku Kuby, na konfrontacji, której zwolennikami byli Fidel Castro i Che Guevara. To się już skończyło. Stosunki pomiędzy Ameryką Południową a Północną zmierzają w stronę współpracy i migracji. Ameryka Południowa nie próbuje już walczyć z Ameryką Północną; próbuje się tam dostać. Stany Zjednoczone poddane są coraz silniejszej latynizacji z powodu napływającej z Południa imigracji – proces ten będzie trwał, są nim mocno dotknięte stany południowe, gdzie hiszpański staje się drugim językiem Stanów Zjednoczonych, i jednocześnie północny Meksyk amerykanizuje się w szybkim tempie. Stąd zaniepokojenie antropologów i politologów meksykańskich, którzy obawiają się, że nastąpi podział Meksyku na część północną, bardziej rozwiniętą, która znajdzie się w sferze wpływów Stanów Zjednoczonych, i południową, pokrytą dżunglą, zacofaną, zamieszkaną przez Indian, która zostanie zepchnięta do Ameryki Środkowej.

Druga zmiana to przebudzenie się społeczności indiańskiej. Dotyczy to wszystkich regionów w Andach i całej Ameryki Środkowej, z południowym Meksykiem włącznie. Przejawem tego przebudzenia jest niedawny wybór Indianina na prezydenta Peru, kraju, w którym nigdy dotąd nawet Metys nie był wybrany do najwyższych władz. Ale to jest jedynie symbol zjawiska, które obejmuje cały kontynent i które wyraża się w odzyskanej dumie z poczucia tożsamości, w rozprzestrzeniającym się w społecznościach indiańskich przekonaniu, że to one są prawdziwymi panami tej ziemi. Widać to w Brazylii, w Boliwii, w Paragwaju, w Peru, w Kolumbii. [70]

Jesteśmy świadkami nowego, wielkiego przebudzenia i odrodzenia etnicznego tej części społeczeństw Ameryki Łacińskiej, która była jej ludnością autochtoniczną. To byli „oryginalni" – by tak rzec – mieszkańcy tej ziemi, podbici w czasach szesnastowiecznej konkwisty. Wywalczenie niepodległości przez kolonie hiszpańskie i portugalskie w dziewiętnastym wieku, które od tamtej pory są osobnymi, niezależnymi państwami latynoamerykańskimi, nie zmieniło w sposób zasadniczy społecznego położenia Indian. Oni wciąż pozostawali ludźmi z marginesu, władza zaś należała i należy do białej mniejszości. Teraz Ameryka indiańska budzi się ze snu. [77]

Z tym wiąże się zresztą kryzys placówek misyjnych. Gościłem niedawno u polskich misjonarzy w Paragwaju. To byli ludzie z wiosek na Podlasiu. Kiedy zaczęliśmy rozmawiać o ich pracy, zwierzyli mi się ze swoich rozterek. Jeden mówił: „Pytają mnie w Polsce, czy kogoś nawróciłem. A jak mam nawracać? Byłem uczony, żeby szanować lokalną kulturę, inne wierzenia. Mieszkam wśród Indian, którym wystarcza ich własny świat. Chlubią się, że mają bardzo dobrych bogów. Uważają, że jeśli będą ich szanować, to jeden ześle deszcz, a drugi da obfite zbiory. Więc co mam robić?". Dlatego wielu z nich po prostu pracuje razem z Indianami, uczy ich gospodarować. Ponieważ są to na ogół chłopscy synowie, więc dostosowali się do tej sytuacji. Ale to jest poważny problem religijny i kulturowy, bo dokonuje się właśnie wielkie odrodzenie bardzo starych i bogatych kultur indiańskich w Ameryce Łacińskiej. [65]

Religijność w świecie jest wysoka. Człowiek jest istotą religijną. Ale nie musi być przypisany do jakiegoś Kościoła. Ludzie wszędzie w coś wierzą, każdy ma swoje bóstwo, boga, relikwie, symbole. To jest często kwestia uruchomienia potencjału religijnego tkwiącego w ludziach, dotarcia do wartości, które są w nich. Dla nich problem Boga jest wciąż aktualny.

Często gdy przyjeżdżałem do Afryki czy do Ameryki Łacińskiej, ludzie pytali mnie, czy wierzę w Boga. To jest jedno z pierwszych pytań. Pytali z taką tonacją, że słychać było, iż oczekują pozytywnej odpowiedzi. Czekali z napięciem. Kiedy odpowiadałem, że tak, wtedy następował moment ulgi. Z tym wiąże się szacunek dla duchownych, niezależnie od wiary, którą reprezentują. Ja już jestem stary, więc kiedy jeździliśmy i napotykaliśmy różne patrole, moi przewodnicy mówili żołnierzom, że jestem biskupem, i oni wtedy puszczali nas wolno. [73]

Kościół katolicki to są wielkie formy, kardynał, katedry, sądy, kurie, instytucje. Natomiast w społeczeństwach plemiennych, regionalnych, rozdrobnionych dużo sprawniej funkcjonują inne Kościoły czy też sekty. Człowiekowi łatwiej jest się odnaleźć w małej społeczności. Ponadto organizacje te mają ogromne wsparcie ekonomiczne ze strony swoich Kościołów w Stanach Zjednoczonych. To są biedne społeczeństwa. Jak tam się chce iść ze słowem Bożym, trzeba mieć dla ludzi koszulę, buty, aspirynę dla chorych. Trzeba przejawiać ogromną aktywność materialną, choćby na podstawowym poziomie, ale jest to jednak konieczne. Te małe Kościoły protestanckie otrzymują to w ogromnych ilościach. Biedny człowiek nie pójdzie do kardynała, bo się do niego nie dostanie. Te Kościoły spełniają wiele funkcji praktycznych w tamtych społeczeństwach. [73]

Sekty są nieduże i działają przede wszystkim wśród biedoty. Trudno się zresztą dziwić ich popularności, bo tradycyjne misje katolickie nie są w stanie dotrzeć do wszystkich ludzi. Mieszkałem w Boliwii u polskiego misjonarza – ojca Grzegorza, który w pojedynkę musi troszczyć się o dwieście sześćdziesiąt kościołów. Nie jest w stanie ogarnąć tak wielkich przestrzeni. Tamtejsze sekty nie walczą z Kościołem katolickim, co więcej – zdarzają się nawet przypadki współpracy księży katolickich z sektami, bo wszystko to dzieje się przecież w jednym środowisku. Sekty wypełniają po prostu puste miejsce, którego nie jest już dzisiaj w stanie zapełnić żadna z głównych religii. [65]

To jest kontynent, na którym zauważa się współpracę między kulturami, rasami i religiami. Jest to pewien synkretyzm, w którym katolicyzm miesza się ze starożytnymi wierzeniami. I co najciekawsze i absolutnie wyjątkowe, nie ma tu agresywnego nacjonalizmu. Można przemierzyć całą Amerykę Łacińską i nie spotkać się z przejawami nienawiści czy odrzucenia. Może to być dobry model na dwudziesty pierwszy wiek. [15]

Ameryka Południowa została podbita inaczej niż Afryka czy Azja, w sposób wyjątkowo okrutny, morderczy, szczególnie z powodu chorób przywleczonych przez Europejczyków. Niezależna na długo przed kolonizacją Afryki, jest też jedyną częścią Trzeciego Świata, która stworzyła nową społeczność w procesie mieszania się ras. [70]

Każdy z narodów Ameryki Łacińskiej jest niejako „z natury" tworem wieloetnicznym i wielokulturowym. Bo są tu co najmniej trzy składniki: ludność autochtoniczna, czyli Indianie, potomkowie białych konkwistadorów oraz – w niektórych krajach – potomkowie czarnych niewolników. To są podstawowe, choć nie jedyne, składniki latynoamerykańskiego tygla etnicznego.

Ruchy indiańskie, na przykład zapatyści w Meksyku, walczą o uznanie wielokulturowości przez władzę i społeczeństwa, w których żyją. To są ruchy bardzo dwudziestopierwszowieczne, moim zdaniem, jaskółki tego, co będzie charakteryzować rozpoczęty wiek, czyli przebudzenia się poczucia tożsamości etnicznej i kulturowej. [77]

Ameryka Łacińska to jedyny region, w którym kultura europejska stała się częścią kultury innego kontynentu. Pamiętajmy, że kultura europejska nie przyjęła się ani w Afryce, ani w Azji. W tamtych częściach świata zniknęła wraz z wielką dekolonizacją po drugiej wojnie światowej. Natomiast Ameryka Łacińska jest jedynym kontynentem, gdzie europejskość stała się częścią jego oryginalnej kultury. Przebudzenie etniczne Ameryki przedkolumbijskiej stwarza unikalną szansę ukształtowania się zupełnie nowej jakości kulturowej na tym kontynencie – takiej jakiej nie było i nigdy nie będzie ani w Ameryce Północnej, ani w Europie, ani w Afryce. Stoimy więc w obliczu niesłychanie ciekawego eksperymentu w skali planetarnej. Powstanie, być może, jakaś nowa kultura hybrydyczna, która będzie łączyć różne składniki kultury indiańskiej, europejskiej, afrykańskiej. [77]

Jesteśmy świadkami hybrydyzacji systemowej, łatwiej tworzyć typologie różnych systemów hybrydycznych, niż jasno stwierdzić, że coś jest pełną demokracją, a coś dyktaturą. Mamy problemy charakterystyczne dla czasów ponowoczesnych: zacieranie się granic, niejasność. Na domiar złego wszystko podlega prawu dynamiki, nieustannym zmianom, opis sytuacji dobry dziesięć lat temu dziś jest już nieadekwatny.

Żyjemy w trudnym momencie, kiedy trzeba szukać nowych kategorii, zwłaszcza językowych. W socjologii pojawiają się prace pokazujące, jak na przykład w Ameryce Łacińskiej wytwarzają się różne hybrydowe kultury, o których nie sposób już powiedzieć, czy należą do kultury wysokiej, czy do masowej. Kultury te przemieszane są ponadto etnicznie, pojawia się coraz silniej element *mestiso*, mieszańca. Fenomeny *hybridismo*, *mestisismo* to problemy wymagające i ciekawszej analizy, i dokładniejszej obserwacji. [55]

Do tej pory zwykle definiowano naród jako wspólnotę ludzi powstałą na gruncie wspólnego terytorium, języka, historii, kultury. Definicja ta odzwierciedlała rzeczywistość państwa narodowego ukształtowanego w dziewiętnastym wieku w Europie, ale dziś nie odpowiada ona realiom wielu krajów – choćby w Ameryce Łacińskiej – jest marginalizująca, dyskryminująca ogromne masy ludności, miliony Indian, którzy uważają się za Meksykanów, członków narodu meksykańskiego, mimo że nie łączy ich z innymi obywatelami Meksyku ani wspólnota językowa, ani ta sama kultura.

Stoimy więc wobec potrzeby stworzenia nowej definicji narodu – jako wspólnoty wielokulturowej, wieloetnicznej. I nie jest to tylko kwestia semantyczna. Przeciwnie – chodzi o podstawową zasadę demokracji, o przyznanie wszystkim obywatelom zamieszkującym obszar danego państwa równych praw do zachowania swojego języka, własnej kultury i tak dalej i do uważania się za członków jednego narodu – na przykład meksykańskiego. To kwestia godności i praw tych, których dawna definicja narodu spychała poza obręb wspólnoty narodowej rządzącej w danym państwie. [77]

Jest to pierwszy wypadek, kiedy mniejszości etniczne już nie proszą, nie stoją w roli petenta czy pozie żebraka, lecz występują ze świadomym programem, domagają się uznania godności i należnych im praw w skali państwa, narodu czy nawet regionu. W Meksyku pytano mnie wielokrotnie, co sądzę o ruchu zapatystowskim. Odpowiadałem, że jest to dla mnie forpoczta przemian kulturowych dwudziestego pierwszego wieku. Uważam, że to, co w tej chwili dzieje się w Ameryce Łacińskiej, jest swoistym laboratorium nowego wieku. [77]

Żyć w ummie. Islam

Moje spotkania z islamem zaczęły się ponad czterdzieści lat temu. Zetknąłem się z nim w 1956 roku podczas pierwszej wielkiej podróży, kiedy odwiedziłem Indie, Pakistan i Afganistan. Były to kraje, które w latach 1946–1947 podzielił niesłychanie krwawy konflikt religijny między muzułmanami i wyznawcami hinduizmu. Przyjechałem tam, co prawda, już kilka lat po zakończeniu zamieszek, ale ślady tego dramatu były wciąż świeże. Od tego czasu niemal bez przerwy stykam się z kulturą muzułmanów, i to niekoniecznie na terenach tradycyjnie kojarzonych z islamem. Jest to jedna z tych wielkich planetarnych religii, która przenika bardzo różne kontynenty, kultury, języki i dlatego ma rozmaite odcienie narodowe czy regionalne.

Islam w Stanach Zjednoczonych jest praktykowany przede wszystkim przez ludność afroamerykańską zamieszkującą getta, potworne slumsy wielkich metropolii. Ci czarnoskórzy muzułmanie nazywają siebie *The Nation of the Islam* – narodem islamskim. Tam więc jest to religia biednych, często bezrobotnych mieszkańców wielkich miast. Takie muzułmańskie dzielnice widziałem ostatnio w Detroit. Jest to widok zadziwiający. W dzielnicy jest ponad trzydzieści kościołów, ale wszystkie są zamknięte. Zniknęła stamtąd Polonia, podobnie jak inni biali mieszkańcy, natomiast ludności islamskiej przybywa. Kolejna grupa amerykańskich muzułmanów to emigranci z Indonezji, Malezji, Filipin i tak dalej.

Na terenie Europy islam jest bardziej zróżnicowany etnicznie i kulturowo. Mamy więc maghrebijski typ islamu (wywodzący się z Afryki Północnej), o silnych tradycjach walki antykolonialnej. Islam maghrebijski ma bardzo głęboki rys niepodległościowy, wyzwoleńczy i on właśnie odegrał postępową rolę. Ten typ islamu jest bardzo widoczny we Francji. Inny typ islamu występuje w Niemczech. Tam muzułmanie wywodzą się przede wszystkim z Turcji i Bośni.

Bardzo zróżnicowany islam można spotkać na obszarze Bliskiego Wschodu, przede wszystkim w Afryce Północnej i w całym rejonie Morza Śródziemnego. Występuje tam i bardzo skrajny, uciekający się do terroryzmu, islam Kadafiego, i dość „liberalny", otwarty islam tunezyjski, wreszcie islam obejmujący Afrykę Sahelu i Sahary, Afrykę Wschodnią i Zachodnią, który jest naprawdę tolerancyjny i nie zna pojęcia terroryzmu ani fundamentalizmu. Ten ostatni typ islamu pokrywa się zresztą z obszarem występowania kultury bantu, która była bardzo pokojowa, oparta na zasadzie współpracy i współdziałania. [42]

Największe narody islamu zamieszkują państwa azjatyckie – Pakistan, Indonezję, Malezję, cały rejon południowo-wschodni. Trudno pokrótce przedstawić niezwykłe bogactwo i różnorodność tamtego islamu. Jego cechą charakterystyczną jest bojowość i silny wpływ tendencji nacjonalistycznych. Religia Mahometa uzbraja tamte społeczności i daje im poczucie siły. [65]

„Człowiek Trzeciego Świata" – gdyby użyć tak uproszczonego terminu – jest dużo bardziej religijny niż człowiek Zachodu. On niekoniecznie musi mieć jednego Boga, na przykład w hinduizmie jest wielu bogów, ale może w ogóle nie mieć boga, może wierzyć w siły przyrody, duchy dżungli *et cetera*. Jest człowiekiem religijnym wewnętrznie. W rozmowie zawsze zapyta, czy wierzysz w boga. Dalej może go nie interesować, w jakiego boga wierzysz, ale jedyną odpowiedzią, jakiej można wtedy udzielić, jest „tak" – inaczej wywoła się zamieszanie, niezrozumienie, potępienie. [46]

Pamiętam, że kiedy opisywałem rewolucję irańską, spotkałem w Iranie panią Fitzgerald, świetną pisarkę amerykańską, specjalizującą się w literaturze faktu. Napisała cykl wspaniałych reportaży z Iranu, opublikowanych w „New Yorkerze" w dziale „Reporter at Large", później dostała za te teksty, pisane na dzień przed rewolucją, nagrodę Pulitzera. Brakowało w nich tylko jednej rzeczy – ani słowem nie wspomniała o roli kleru i islamu. Tymczasem dla mnie jako Polaka od początku było oczywiste, że wszystko organizowane było przez system Kościołów; to przecież duchowni mobilizowali tłumy i cała informacja szła kanałami kościelnymi. Dla mnie było to zupełnie oczywiste, ale inni świadkowie wydarzeń nie mieli po prostu tej wrażliwości, tego doświadczenia. Po powrocie do kraju na podziemnych solidarnościowych spotkaniach miałem nawet wykład „Polska a Iran”. [52]

Muzułmanie traktują całą egzystencję człowieka na sposób głęboko religijny. Modlitwa pięć razy dziennie, pielgrzymka do Mekki, posty... Modlitwa jest czymś absolutnie naturalnym. Gdy przychodzi jej pora, wszyscy klękają i zaczynają się modlić, wszystko jedno gdzie. Zaszokowało mnie to, gdy mieszkałem w Iranie – ludzie załatwiają codzienne sprawy, życie toczy się swoim torem, a w pewnym momencie ktoś rozkłada dywanik, klęka, obok niego klęka drugi, trzeci, czwarty, piąty; zaczynają tworzyć się rzędy – niczym kolumny wojska. I robią to zupełnie przypadkowi ludzie. Zaczyna się modlitwa. Dzieje się to na przypadkowej ulicy, w gronie przypadkowych ludzi, którzy się nie znają. Widziałem taką modlitwę w Kairze na głównej alei – takiej jak nasza Marszałkowska. Wspólna modlitwa daje muzułmanom niezwykle silne poczucie tożsamości, wspólnoty, jedności. [46]

Wszystko jest w pewien sposób wspólnotowe. Bo przecież i dawanie jałmużny jest obowiązkiem wobec wspólnoty, i publiczne wyznanie wiary, i modlitwa, a nawet post. Również pielgrzymka do Mekki – hadż, odbywa się zawsze w grupach. Pielgrzymka jest, oczywiście, marzeniem każdego muzułmanina. W momencie kiedy ją odbywa, otrzymuje na całe życie tytuł hadżi. Będzie z tego bardzo dumny i zawsze będzie podkreślał, że jest hadżi Ibrahim – ten, który odbył pielgrzymkę. Stwarza to pewną hierarchię i odtąd taki hadżi Ibrahim znajduje się już wśród pomazanych, błogosławionych.

Islam jest niezwykle spójny, przenika wszelkie obszary życia. Trzeba bowiem pamiętać, że islam to nie tylko wiara, lecz – jak mówią muzułmanie – „wszystko". Jest więc zwłaszcza prawem. Prawo islamskie – szariat – drobiazgowo ustala i określa zasady postępowania muzułmanina, zwłaszcza jego obowiązki wobec Boga, wobec sąsiada (Innego) i wobec samego siebie. [42]

Nie ma w islamie zasady: „Oddajcie cesarzowi, co cesarskie, a Bogu, co boskie". Prawo stanowi ważną część islamu i mówi, jak rządzić społeczeństwem muzułmańskim. [46]

Islam, podobnie jak prawosławie, nie doświadczył ani reformacji, ani oświecenia. Jeśli w islamie pojawiał się jakiś prąd modernizacyjny, to jego orędownicy byli wyklinani, wyrzucani poza nawias ummy.

Takie wyłączenie jest dla muzułmanina najcięższą karą. Bo jak głosi przysłowie: jeden muzułmanin to jeszcze nie muzułmanin... Wynika to przede wszystkim z doświadczeń życia w ekstremalnych warunkach pustynnych, gdzie jednostka nic nie znaczyła. Europejczyk nie potrafi tego zrozumieć. W zachodniej cywilizacji kładzie się nacisk na indywidualizm. To wolna jednostka staje się najbardziej twórcza, niezależna, może „być sobą". W tradycji islamu jest odwrotnie – dla muzułmanina znaleźć się samemu to znaczy zginąć. Człowiek zdany na samego siebie nie może funkcjonować nie tylko w sensie religijnym, ale i biologicznym. Być w ummie to znaczy być w tym, co stwarza człowieka.

Dlatego właśnie jeśli nawet muzułmanin zostanie przeniesiony do Paryża, Londynu, zachowa nadal związki ze swoim meczetem. Jego pierwszym odruchem będzie złożenie datku na budowę meczetu. Tam będzie się potem spotykał z innymi wyznawcami i słuchał religijnych przywódców. Będzie, oczywiście, przestrzegał najważniejszej dla muzułmanina zasady *salat* – odmawianej pięć razy dziennie modlitwy. [42]

Jeśli mówić o prawach człowieka w odniesieniu do kultur nieeuropejskich, to należałoby przypisywać je raczej grupie niż jednostce.

Odmienność zaczyna się już na poziomie rodziny, bo pojęcie rodziny jest w innych cywilizacjach znacznie szersze niż w tradycji europejskiej. W tamtych kulturach rodzina jest zawsze kilkudziesięcio-, a nawet kilkusetosobowa i przechodzi w nadrzędną strukturę klanu, a rodzina klanów z kolei tworzy plemię. Nigeryjczyk czy Afgańczyk wpisany jest w zupełnie inną sieć relacji i stosunków niż Polak czy Holender i przyznawanie tym pierwszym – jako jednostkom – praw człowieka to pozbawianie ich kontekstu bycia w zbiorowości, przeciwstawianie tej zbiorowości, a to jest dla nich zabójcze. Krótko mówiąc, obdarzanie indywiduum niezależnymi prawami nie mieści się w tradycji tamtych kultur i my, Europejczycy, żądając respektowania praw człowieka, musimy najpierw objaśnić, o co nam chodzi. [65]

Dochodzimy w tym momencie do zasadniczego tematu kulturowej różnicy między islamem a Zachodem. Islam jest religią o siedem wieków młodszą od chrześcijaństwa. Europa wyrasta z tradycji chrześcijaństwa, które przechodzi stałą transformację (reformacja, oświecenie, ekumenizm...). Jest religią, która poszukuje swego miejsca w zmieniających się warunkach historycznych. Islam natomiast pozostaje bardzo stabilny. Wychodzi bowiem – co stanowi istotną różnicę – z tradycji rodziny, plemienia i koncepcji państwa, w którym nie ma podziału na sferę świecką i religijną.

Kultury te więc nie przystają do siebie. Na dodatek w różnych etapach swojej historycznej koegzystencji często toczyły ze sobą wojny. W ósmym wieku Karol Młot zatrzymał ofensywę islamu w głąb Europy. W siedemnastym wieku z odsieczą wiedeńską nadciągnął Jan III Sobieski. Islam jest zatem taką siłą – polityczną, a czasem militarną – która kontestowała (i często kontestuje) Europę czy cywilizację zachodnią. Europa, oczywiście, również odnosi się do islamu niechętnie i nierzadko bardzo wrogo. [42]

Trzeba pamiętać, że nasz stosunek do islamu kształtuje siła wielkich sieci telewizyjnych. Na ogół więc nie mamy własnego poglądu, własnej wiedzy – korzystamy z pośrednictwa tych kanałów informacji. Ponieważ sieci owe mają za zadanie kształtować nieufność w stosunku do świata muzułmańskiego, nasz punkt widzenia naznaczony jest stronniczością. Dyskutujemy więc zazwyczaj, dysponując jedynie zmanipulowaną porcją informacji, którą daje się nam do wierzenia. [42]

Zachód zastanawia się, czy islam zagraża światu. Ludzie islamu mówią, że to Zachód zagraża islamowi.

Sytuacja konfrontacji trwała od siódmego do dziewiątego wieku w rejonie Morza Śródziemnego. W drugiej połowie dwudziestego wieku odrodziła się w związku z walką o niepodległość krajów Trzeciego Świata i została wzmocniona finansowo zyskami czerpanymi z ropy naftowej, bez której Zachód nie może istnieć. Wokół islamu toczy się wielka gra polityczna, gra mediów próbujących utożsamić w podświadomości masowego odbiorcy islam z terroryzmem. To jest chwyt czysto polityczny. Ugrupowania terrorystyczne są znikomą częścią islamu. Są spektakularne, ale trzeba pamiętać, że główne ostrze tak zwanych fundamentalistów jest skierowane przeciwko rządom arabskim. To one są prawdziwie zagrożone. Ten konflikt jest przede wszystkim konfliktem wewnątrz islamu. Islam zasadniczo jest religią bardzo łagodną – religią pokory, modlitwy, jałmużny, fatalizmu. Dlatego nie można mówić o konfrontacji islamu ze światem zachodnim. [13]

Islam podzielony jest zasadniczo na dwa odłamy: szyitów i sunnitów. Druga warstwa podziałów to islam rzeki i islam pustyni. Islam rzeki, Nilu, to islam uczonych, kupców, otwarty. A pustyni – to islam wojowniczy. Kairczyk to zupełnie inny człowiek niż koczownik z gór. My rzeczywiście szalenie upraszczamy, wulgaryzujemy, interpretując w sposób nieskomplikowany kulturę i cywilizację szalenie bogatą, złożoną i skonfliktowaną. Co kilkadziesiąt lat rodzi się w jednej ze szkół islamskich prąd „odnowy", jakaś grupa dochodzi do przekonania, że trzeba koniecznie oczyścić ideologię z naleciałości, zanieczyszczeń, powrócić do źródeł koranicznych. [56]

Są tam ruchy ekstremalne, jak talibowie w Afganistanie czy niektóre odłamy szyizmu w Iraku i w Iranie, ale i islam bardzo oświecony – na przykład w Malezji, gdzie żyje wielu wybitnych intelektualistów i myślicieli. [42]

Żeby zrozumieć fenomen tego, co nazywamy „fanatyzmem islamskim", trzeba wiedzieć, że w ciągu tysiąca czterystu lat historii islamu istniało wiele różnych szkół myślenia – mistycznych, sufickich i innych – które miały własne interpretacje Koranu.

Ponieważ ruchy te chciały jakoś przetrwać i rozwijać się, ich cechą była zawsze sekretność. To ona była spoiwem grupy. Nikt poza kręgiem jej uczestników niczego o niej nie wiedział. Ta tajność do dziś pozostała typowa dla funkcjonujących w obrębie islamu grup skrajnych. Jest to sekretność na śmierć i życie – zdradę tajemnicy karze się obcięciem głowy. Historia islamu niemalże nie zna przypadków zdrady, taka grupa jest po prostu nie do przeniknięcia. Gdy więc dziś ktoś mówi, że CIA nie rozpoznało zamachowców, a przecież mogło, to nie wie, o czym mówi. W taką grupę nikt nie jest w stanie wniknąć, łącznie z najtajniejszą policją islamską. Poza tym trudność zwalczania grup fundamentalistycznych czy terrorystycznych leży w tym, że są one wtopione w szersze struktury społeczności islamskiej i niesłychanie trudno je z tej społeczności jednoznacznie wyizolować. [46]

Historia takich grup ma kilkusetletnią tradycję. Zaczyna się w ósmym–dziewiątym wieku, a nabiera szczególnej siły w okresie krucjat, wraz z powstaniem tak zwanej sekty asasynów. To wtedy dochodzi do wielkiego konfliktu między europejską kulturą a grupami, które dziś byśmy nazwali terrorystycznymi. Ten konflikt ciągnie się więc dziewięćset lat i ilekroć Europa próbowała penetrować świat islamu, podbijać go – czy to w okresie krucjat, czy Napoleona, czy w czasie kryzysu sueskiego w 1956 roku – odpowiedzią było rodzenie się terrorystyczno-religijno-mistycznych ruchów islamskich. [46]

Warto zauważyć, że do aktów terroryzmu dochodzi wyłącznie w obrębie islamu arabskiego. Islam Czarnej Afryki nie zna terroryzmu. [65]

Istotnie, w szariacie istnieją też nakazy, które są stosowane tylko w wypadku zwycięstwa skrajnego odłamu w islamie i jego nieludzkiej, barbarzyńskiej interpretacji. Na przykład w Afganistanie wykonuje się publicznie karę okaleczenia za złodziejstwo – obcięcie prawej ręki i lewej stopy. To jest napiętnowanie człowieka na całe życie, nie mówiąc o okrutnym bólu i cierpieniu. Szariat w takiej formie stosuje się niezwykle rzadko – u afgańskich talibów, w latach osiemdziesiątych w Sudanie, również w Arabii Saudyjskiej. [46]

Stosowanie wymienionych kar jest – z punktu widzenia naszej kultury – zbrodnicze, nieludzkie, nie do zaakceptowania. W tej sprawie nigdy się z muzułmanami nie zgodzimy. Wyrośliśmy w innej kulturze, w innej wierze. Nie ma co idealizować islamu, bo on ma cechy dla nas nie do przyjęcia. [46]

Nie każdy muzułmanin uważa, że trzeba zabić kobietę, która dopuściła się zdrady. Podobnie jak nie każdy hindus będzie kamienował za złamanie prawa kastowego. Trzeba pamiętać o proporcjach. W wypadku hinduizmu mamy do czynienia z miliardem wyznawców! W wypadku islamu – z miliardem trzystu milionami! Oczywiście, każdy z takich wypadków jest godny potępienia, ale musimy rozumieć specyfikę tamtych cywilizacji i brać poprawkę na to, że mówimy naprawdę o miliardach ludzi.

I islam, i hinduizm to religie i cywilizacje Księgi. Wewnątrz świata muzułmańskiego od tysiąca czterystu lat toczy się spór o interpretację Koranu, który jest dziełem poetyckim. Wszystko zatem zależy od odpowiedniej wykładni. Jak wiadomo, w islamie nie ma rozróżnienia: prawo Boże – prawo świeckie, a w konsekwencji – państwo Boże – państwo świeckie. Istnieje zatem jedna wspólnota – umma, i jedno prawo – szariat. Interpretatorzy, którzy są zwolennikami skrajnych odłamów islamu, usprawiedliwiają swe działania przestępcze, odpowiednio tłumacząc znaczenie sur. To samo zresztą dotyczy hinduizmu. Można tak zinterpretować poszczególne mity czy podania z Wed, aby uzasadnić konieczność obcięcia komuś głowy, ale to nie znaczy, że w samej religii jest coś zbrodniczego. [65]

Wedle muzułmanów, Koran został dany bezpośrednio od Boga. Jest to zatem religia objawienia słowa, a nie objawienia Boga-człowieka, i dlatego ten, kto kwestionuje Księgę, kwestionuje istnienie Boga. Ta odmienność tłumaczy, choć nie usprawiedliwia, reakcję muzułmanów na

Szatańskie wersety Salmana Rushdiego, który, zdaniem ortodoksów, kpił sobie w tej powieści z Koranu. [42]

Natomiast zupełnie inną sprawą jest tolerancyjność islamu wobec innych wyznań. Na terenach, na których rozprzestrzeniał się islam, obowiązywała zasada, że każdy mógł wierzyć w jakiego boga chciał, byle tylko płacił za to podatek. Gdy muzułmanie podbijali jakieś terytorium, pytali autochtonów, czy przechodzą na islam. Jeśli nie, musieli płacić podatek i dalej mogli wierzyć w jakiego boga chcieli. [46]

Co ciekawe, islam, w przeciwieństwie do innych religii, skutecznie opiera się procesom sekularyzacyjnym. Właśnie to niepokoi zachodnich politologów i socjologów. Samuel Huntington krytykuje swoich rodaków, którzy mylili „westernizację" z modernizacją. Amerykanie myśleli, że jeżeli da się innym coca-colę, telewizor i samochód, to obdarowani staną się podobni do Amerykanów. Tak się jednak nie dzieje – mieszkańcy krajów islamskich przyjmują zachodnią technologię, ale nie przyswajają sobie zachodnich wartości. Potoczna obserwacja potwierdza tę tezę. [42]

Pamiętam, jak kiedyś w Zjednoczonych Emiratach Arabskich zobaczyłem młodą dziewczynę. Widok niesamowity – była Arabką, miała może szesnaście–siedemnaście lat, zgrabna, w obcisłych dżinsach, bluzeczce i... z czarczafem na głowie! Muzułmańska kobieta musi nosić chustę, bo Koran mówi, że włosy stanowią źródło podniety, więc kobieta nie może ich pokazywać.

Obyczajów religijnych, które współistnieją z nowoczesnością, jest znacznie więcej. [46]

Ludzie będą jedli big maca, ale nie przekona ich to do Wielkiej Karty Praw Człowieka. Jednym słowem, technika i konsumpcja niekoniecznie muszą być nośnikami wartości kulturowych czy duchowych. Jest rzeczą charakterystyczną, że ruchy najbardziej skrajne, fundamentalistyczne, chętnie korzystają ze zdobyczy technicznych cywilizacji zachodniej właśnie po to, aby ją zwalczać.

Myślę, że na Zachodzie nie doceniamy przywiązania do tradycyjnych wartości duchowych. Może dlatego, że Europejczycy, zwłaszcza zachodni, w przeciwieństwie do mieszkańców innych kontynentów, przeżywają kryzys religijności czy duchowości. Człowiek tymczasem jest istotą duchową i nie godzi się z tym, co w jego poczuciu zagraża najgłębszym wartościom, z którymi się utożsamia. Muzułmanie czy hindusi często podświadomie traktują globalizację jako coś, co może naruszyć ich tożsamość. To prawda, że usztywniają się i mocniej manifestują przywiązanie do duchowej strony swojej kultury. [65]

Nagłe zwiększenie importu nowych technologii do Iranu było postrzegane przez Irańczyków jako upokarzające dla narodu o tak długich tradycjach. Czuli się zawstydzeni, że nie potrafią tej technologii pojąć. Upokorzenie powodowało bardzo silne reakcje – pewnego razu wściekli Irańczycy zdewastowali cukrownie pobudowane przez europejskich ekspertów. Skoro technologia była im obca, mieli przekonanie, że wprowadzono ją, by zdominować ich naród.

Zmiana nastąpiła zbyt szybko – Irańczykom trudno było ją zaakceptować w tak krótkim czasie. Odrzucili ją, bo czuli, że zagraża fundamentom ich społeczeństwa. Wielu Irańczyków – zwolenników Chomeiniego – uznało, że wielkie plany ekonomiczne nie są im przydatne, bo nie zaprowadzą ich do raju. W rezultacie nastąpił radykalny wzrost znaczenia starych wartości. Ludzie bronili się, kryjąc się za starymi wartościami, bo tradycja i religia były jedynym dostępnym im schronieniem. [31]

Muzułmanie przywiązują wielką wagę do nauki, oświaty. Islam przypomina pod tym względem judaizm. Kiedy jakiś czas temu odwiedzałem rejon Sahelu, południa Sahary, to w najbardziej zapadłych wioskach, gdzie życie zamiera wraz z zachodem słońca, a budzi się następnego dnia o brzasku, gdzie nie ma systemu oświaty, dróg... nie ma nic, istnieje tylko jedna instytucja – szkółka koraniczna. Dzieci zbierają się przy ognisku, gdzie wieczorem jest jeszcze trochę światła, i ich nauczyciel (*ulema*) czyta im Koran, na którym uczą się czytać i pisać.

Jest to ich jedyne doświadczenie obcowania z książką, jedyna forma oświaty, jaka istnieje na tych niezwykle rozległych terenach świata. Ponieważ do szkółki koranicznej może chodzić każde dziecko, starsze przyprowadzają swoje dwu–trzyletnie rodzeństwo, którym muszą się opiekować. Dla tej gromady dzieci Koran jest jedynym uniwersytetem. Nawet więc w tak ekstremalnych warunkach, gdzie panuje straszliwa bieda – w tamtych wsiach naprawdę nie ma co jeść – trwa nauka Koranu, który jest dla nich całą wiedzą. [42]

Islam jest religią bardzo prostą. By być muzułmaninem, trzeba wyznać, że się nim jest, i praktykować pięć filarów wiary, do czego nie potrzeba intelektualnego przygotowania. Dla ludzi prostych, szczególnie w Trzecim Świecie (ale i w wielkich miastach Ameryki Północnej i Europy), bardzo ważne jest poczucie identyfikacji z islamem, bo zaczynają się czuć członkami jakiejś wspólnoty, rodziny. Dobrze wiemy, jak zasadniczą rolę we współczesnym wielokulturowym i chaotycznym świecie odgrywa poczucie tożsamości. A islam daje to tym ludziom – muezin budzi ich rano, mają swój meczet (to nie tylko miejsce modlitwy, ale i spotkań z bliskimi), swoje ummy – wspólnoty, i kiedy znajdą się w tarapatach, mają się do kogo zwrócić o pomoc. [42]

Islam znajduje się obecnie w stanie ogromnej ekspansji, co właściwie wypływa z samej istoty tej religii. Jej dynamizm od samego początku był duży. Obecnie jest to około miliarda ludzi, ale liczba ta gwałtownie wzrasta. Islam zaczął się rozprzestrzeniać najpierw w kierunku Morza Śródziemnego aż do Półwyspu Iberyjskiego, potem rozwijał się w przeciwną stronę – w głąb Azji. Te dwa kierunki stanowią jakby dwa skrzydła tej religii, która zrodziła się na Półwyspie Arabskim. Pod tym względem nic się nie zmieniło.

W naszym stuleciu jednak pojawiły się nowe tendencje. Ostatnio gwałtownie powiększa się liczba muzułmanów w Stanach Zjednoczonych, a także w Kanadzie. Jednocześnie poprzez napływ imigrantów islam szybko rozprzestrzenia się i na naszym kontynencie. Przypomnijmy, że od średniowiecza, od czasów rekonkwisty, Europa nie gościła tak wielu muzułmanów. Dzisiaj są to emigranci. Bardzo duża grupa Turków zamieszkuje Niemcy, migracja z Afryki Północnej kieruje się przede wszystkim do Francji i do Hiszpanii, do Anglii trafiają emigranci z całego Commonwealthu, trzeba też wspomnieć o Skandynawii, która przyjęła sporą rzeszę uchodźców.

Ale islam rozprzestrzenia się nie tylko poprzez migrację. Na jego rozwój wpływa także ogromna dynamika demograficzna ludności muzułmańskiej. O ile w niektórych krajach europejskich odnotowuje się niż demograficzny, o tyle w krajach islamskich można mówić o permanentnym wyżu. Warto więc uwzględniać ten czynnik – procent ludności muzułmańskiej w Europie wzrasta szybciej, niżby wskazywały na to dane o liczbie imigrantów.

Trzeci kierunek rozprzestrzeniania się islamu to obecnie Azja Środkowa. Ten nurt jest zapewne najważniejszy. Po upadku ZSRR następuje bowiem bardzo silna ekspansja islamu, który trwał na tamtych terenach, ale teraz, po okresie komunistycznej ateizacji, odzyskał należne sobie prawa i środki działania. Czwarty kierunek wpływu to Daleki Wschód, Azja Południowo-Wschodnia (Indonezja, Malezja, Filipiny i tak dalej). W tamtym regionie wzrost liczby wyznawców islamu jest pochodną wysokiego wskaźnika przyrostu naturalnego. Istnieje wreszcie i piąty kierunek rozwoju – Afryka Środkowa i Południowa, przenikanie islamu z północy w głąb Afryki. [42]

Czy tego chcemy, czy nie, musimy się pogodzić z faktem, że żyjemy w świecie wielokulturowym, który będzie się stawał jeszcze bardziej różnorodny. Dzisiaj nie da się już pozostawać w kulturowej izolacji. Naszym zadaniem jest więc znalezienie sobie w tym świecie miejsca, a pierwszą zasadą owego poszukiwania jest zasada tolerancji, uznania, że – jak mówił Bronisław Malinowski – nie ma kultur wyższych i niższych. Zasadzie tolerancji musi towarzyszyć poznawcza ciekawość – musimy zdobyć elementarną wiedzę o kulturze islamu – i życzliwość. Taka postawa nie jest jedynie odruchem dobrego serca, ale od niej zależy sam byt naszej cywilizacji, w tym i naszego kraju. [42]

Imperializm, mistyka i bieda. Rosja

Limes przyjmowany zwykle na wschodzie Europy to granica między alfabetem łacińskim i cyrylicą. Natomiast co do granicy Europy widzianej od strony rosyjskiej, to wśród samych Rosjan panuje ogromna różnica zdań, czy są częścią Europy, czy nie. Właśnie głównie ta kwestia dzieliła w dziewiętnastym i dwudziestym wieku rosyjską inteligencję. I większość inteligentów rosyjskich uważała, że Rosja jest czymś odrębnym od Europy i ma naturę euroazjatycką. W końcu od czasu najazdów mongolskich w trzynastym wieku Europa Wschodnia miała problem ruchomych granic. Atlas historyczny tej części świata to jeden wielki galimatias. [41]

Rosja to bardzo duży kraj, który leży w bardzo ważnym miejscu naszej planety. Wschodni koniec Europy i sąsiedztwo Chin. I teren stepowej Azji. Mówimy: Azja, ale przecież są dwie Azje – Azja cywilizacji Chin, Indii, Japonii, najbardziej pokojowych, humanistycznych religii świata, i Azja rosyjskich stepów, która była zawsze zagrożeniem – wszystko, co szło z głębi tego stepu, było bardzo destrukcyjne. Zapanować nad tą Azją jest bardzo trudno; trudno powstrzymać ekspansję islamu – całe podbrzusze Rosji to islam, bardzo dynamiczny, bardzo bogaty, przekonana o swojej racji najbardziej rozwijająca się na świecie religia.

Tylko chrześcijańska Rosja może powstrzymać islam. Dlatego to, co się dzieje w Rosji, jest szalenie ważne. Dlatego Zachód i Stany są żywotnie zainteresowane stabilnością Rosji. Jedynym kryterium, jakie Zachód stosuje do naszej części świata, jest stabilność. Z każdym rządem, który zapewnia stabilność na tym obszarze, Zachód będzie współpracować. Wszystkie inne kryteria – ideologiczne, polityczne – są drugorzędne. Dlatego jeśli ktoś na tym obszarze walczy o władzę, a chce mieć poparcie Zachodu, musi mieć program, którego głównym punktem będzie stabilizacja społeczna. Zachód będzie popierać taką władzę w Rosji, która w jego oczach będzie gwarantować stabilność.

Myślę, że powrót do komunizmu w Rosji jest niemożliwy. Tam już powstała klasa ekonomiczna, która nie jest tym zainteresowana. Natomiast mogą się umocnić różne formy władzy autorytarnej, zwłaszcza autorytarnej biurokracji, czyli reprezentantów grup interesów, które będą w stanie – w porozumieniu również z Zachodem – zagwarantować w miarę stabilną władzę. Nie sądzę, żeby mogły w Rosji nastąpić jakieś zasadnicze zmiany. [12]

Rosja nigdy nie istniała jako jednolite etnicznie państwo. Rosja to było Wielkie Księstwo Moskiewskie, które drogą ekspansji i podboju przekształciło się w imperium, od początku wielonarodowe. Na tym właśnie polega rosyjskość, że Rosja nie ma granic. Rosjanin, gdy jest w Taszkiencie, sądzi, że jest nadal w Rosji.

Rosjanie mówią, że jedyne bezpieczne granice Rosji to te, gdzie po obu stronach stoją rosyjscy żołnierze. [41]

Tereny tradycyjnie zamieszkane przez Rosjan stanowią jedynie część, i to mniejszą, rosyjskiego imperium. I teraz, po rozpadzie ZSRR w dążeniu do odtworzenia jego granic, odtworzenia całego mocarstwowego obszaru, widoczne jest coraz wyraźniej, że rosyjskość wyraża się poprzez imperialność. Po prostu nie ma innej definicji rosyjskości. Rosjanin nie wyobraża sobie siebie jako obywatela państwa na kształt Holandii. W samej istocie rosyjskości jest zawarty gigantyczny obszar i potężne państwo. W końcu dziesiątki pokoleń Rosjan poświęciły swe życie, swe osobiste szczęście, swój dobrobyt dla zbudowania tego imperium. [41]

Wszystkie mocarstwa kolonialne budowały swą potęgę za morzami. Potem po prostu wykreślone z mapy kolonie zniknęły. Natomiast Rosja rozprzestrzeniała się drogą ekspansji lądowej, metropolia i kolonie były w granicach jednego państwa. I na tym polega istota różnicy. [41]

Historia Rosji była przez wieki historią nieustającej ekspansji. Był to kraj, który przez setki lat żył w duchu podboju i kolonizowania nowych obszarów świata. Ale rozmiary Rosji, jej przestrzeń, to, z czego Rosjanin może czerpać satysfakcję, stały się jednocześnie tym, co Rosję niszczy, co usprawiedliwia wszelkie zło i niedostatek w imię potęgi wielkiej Rosji.

To jest ciągle ta sama myśl o ekspansji. Rosjanie zawsze starali się jak gdyby przekroczyć Rosję, ponieważ nie byli w stanie jej opanować, przekształcić w kwitnące państwo. Dlatego szukali rekompensaty w podbijaniu kolejnych krajów. Dążyli w ten sposób do potęgi, marzyli o Europie, ale jednocześnie sami skazywali się na ekstensywny rozwój. Obszar Rosji, jak słusznie napisał na początku dwudziestego wieku Nikołaj Bierdiajew, okazał się pułapką dla Rosjanina.

Postawa Rosjanina jest postawą skrajną. Albo wielbi, albo nienawidzi. Brak mu tego, co charakteryzuje umysłowość człowieka Zachodu – konsekwentnego krytycyzmu, krytycyzmu twórczego. Dla Rosjanina wszystko jest albo tak doskonałe, że niczego nie trzeba zmieniać, albo tak beznadziejne, że nic się nie da zrobić. Tak było w czasie pieriestrojki. Spotykałem zagorzałych, zaciekłych obrońców *status quo* albo – na przeciwnym biegunie – ludzi, którzy potępiają wszystko i nie potrafią znaleźć niczego pozytywnego, na czym można by cokolwiek budować. [10]

Jeżeli masy uczestniczyły w czymkolwiek w okresie pieriestrojki, to – po pierwsze – nie brały w niej udziału jako zorganizowana siła i nie były w stanie wytworzyć żadnych innych instytucji, a po drugie – wszelkie te ruchy były skierowane w stronę własnych ambicji narodowych. Miały one charakter przede wszystkim ruchów odśrodkowych zmierzających do zwiększenia samodzielności republik. Dlatego też w społeczeństwie radzieckim nie mógł powstać jednolity ruch stawiający sobie za cel demokratyzację struktur w całym państwie.

Wielką słabością pieriestrojki było również pozostawienie bez rozwiązania narastających problemów gospodarczych. Przez cały okres przebudowy stan gospodarki ulegał systematycznemu pogorszeniu. Co więcej, proces dokonywał się w społeczeństwie, którego poziom życia i tak był już bardzo niski. W takiej sytuacji każde, najmniejsze nawet, potknięcie ekonomiczne odczuwane jest w społeczeństwie niezwykle dramatycznie.

Moim zdaniem, było to powodem, dla którego znaczna część, czy nawet przytłaczająca większość społeczeństwa radzieckiego odnosiła się sceptycznie do pieriestrojki. Społeczeństwo radzieckie przebudowę identyfikowało przede wszystkim z pogorszeniem się sytuacji ekonomicznej. W wielu wypadkach przekroczono wręcz barierę głodu. Ponieważ jednak mamy tu do czynienia z pewnym *iunctim* między pieriestrojką i warunkami życia, przeto też znaczna część społeczeństwa w Związku Radzieckim, po latach szczytnych haseł, odrzuciła ideę przebudowy i zaczęła popierać program nawołujący do przywrócenia porządku. [49]

Nie chodzi o to, iż Zachód przecenił Gorbaczowa, ale popełnił on błąd polegający na tym, że w naturalny sposób ekstrapolował swoje demokratyczne myślenie na proces, który się dokonywał w Rosji. Moja opinia jest zupełnie inna. Gorbaczow był klasycznym aparatczykiem, tyle że mądrzejszym od innych, bardziej inteligentnym i potrafiącym zręczniej manipulować. Faktem jest, iż żaden polityk nie jest w stanie zrobić wszystkiego, co zamierzył. Najczęściej udaje mu się zrobić niewiele. Gorbaczow był w szczęśliwym położeniu. Myślę, że udało mu się dokonać mniej więcej tego, czego chciał. Próbował unowocześnić niefunkcjonujący mechanizm i w tej części w zasadzie poniósł porażkę, ale mimo wszystko utrzymał się u władzy i ciągle był mistrzem ceremonii. Oczywiście, w zależności od tego, jakie siły naciskały na niego, on jako typowy polityk manipulator przyjmował taką lub inną postawę. [49]

Moi rozmówcy w Związku Radzieckim używali niekiedy porównania, że pieriestrojka to proces polegający na popuszczeniu lejc. Jedzie rosyjska trojka, której woźnica popuszcza lejce, ale jest to ciągle ten sam zaprzęg i te same konie. Moim zdaniem, porównanie to znakomicie oddaje istotę rzeczy. [49]

To, że kiedyś nastąpi upadek tego imperium, stawało się z biegiem czasu coraz bardziej oczywiste. Z dziesięciolecia na dziesięciolecie coraz bardziej rzucało się w oczy, że kraj ten traci swe szanse w grze o świat. Upadek był czymś nieuchronnym. Niejasne natomiast było to, kiedy i jak to nastąpi.

Dziś wiemy już, że nastąpiła implozja, lecz równie dobrze można było przypuszczać, że dojdzie do eksplozji, a nawet do kolejnego konfliktu światowego. Nikt jednak nie przewidział czasu upadku imperium. Wprawdzie wielu politologów twierdzi dziś, iż prawie co do minuty przewidzieli koniec ZSRR, ale to kompletna bzdura. Można przewidywać tendencje, ekstrapolować procesy, lecz nigdy nie jesteśmy w stanie precyzyjnie określić chwil przesilenia. Zbyt wiele czynników jest w grze. Zbyt wiele było ich również w świecie dwubiegunowym. Teraz, gdy biegunów jest więcej i są one mniej wyraźne, o trafne prognozy jeszcze trudniej. [5]

Pod koniec lat osiemdziesiątych pracowałem nad książką o Idi Aminie, trzecią częścią, po *Cesarzu* i *Szachinszachu*, mojej trylogii o dyktatorach. Ponieważ od jego upadku minęło wtedy już parę lat, w 1988 roku pojechałem jeszcze raz do Ugandy, żeby odtworzyć sobie różne drobiazgi, które uszły mi z pamięci. I właśnie tam, w Ugandzie, zdałem sobie sprawę, jak szybko ulatnia się pamięć historyczna. Wszyscy już wszystko zapomnieli, odepchnęli od siebie wspomnienie niedawnych szaleństw i śmierci.

Po raz pierwszy tak silnie odczułem nietrwałość zbiorowej pamięci.

W czasie pisania byłem jednak bombardowany informacjami o zmianach w ZSRR i zorientowałem się, że dzieją się tam wielkie rzeczy. Postanowiłem pojechać. Ciągle miałem w pamięci doświadczenie z Ugandy, to doznanie ulotności ludzkiej pamięci. Chciałem tam być, zanim czas zatrze szczegóły. [72]

Dlaczego upadł Związek Radziecki? Z różnych przyczyn. Dlatego że przegrywał konkurencję z Zachodem i powoli tracił swoją pozycję międzynarodową. Dlatego że nie był w stanie nic nowoczesnego wyprodukować. Nie potrafił stworzyć niczego, co podtrzymałoby jego pozycję wielkiego mocarstwa.

Inną przyczyną upadku była walka o władzę pomiędzy kierowanym przez Gorbaczowa centrum a nacjonalistycznymi siłami w aparacie partyjnym poszczególnych republik. W rządzącej Związkiem Radzieckim nomenklaturze dokonywały się dwa rodzaje zmian. Siły nacjonalistyczne w republikach zaczęły odgrywać coraz większą rolę i aparat partyjny zrozumiał, że będzie w stanie przetrwać tylko wówczas, kiedy przejmie ich hasła. W ten sposób wytworzył się antagonizm pomiędzy centralnymi władzami imperium a coraz bardziej nacjonalistycznie nastawionymi biurokratami partyjnymi w republikach. Przywódcą sił nacjonalistycznych w partii, które widziały swą przyszłość w dezintegracji Związku Radzieckiego, był Borys Jelcyn. Walka pomiędzy Gorbaczowem a Jelcynem była walką dwóch koncepcji utrzymania władzy przez rządzącą nomenklaturę. Gorbaczow nigdy nie miał szans, ponieważ w konflikcie ideologii z nacjonalizmem zawsze zwycięża nacjonalizm.

Obserwatorzy na Zachodzie spodziewali się, że partyjna nomenklatura będzie walczyć o utrzymanie się przy władzy wszelkimi środkami, wyprowadzając czołgi na ulice. Tymczasem znaczenie słowa „rewolucja" jest w drugiej połowie dwudziestego wieku inne, niż było kiedyś. Nie ma już w tej chwili krwawych rewolucji. Kiedyś jedna klasa zdobywała władzę, dokonując fizycznej likwidacji dawnej klasy rządzącej. Dziś mamy do czynienia z nowym rodzajem rewolucji, którą można nazwać rewolucją przez negocjacje. W jej ramach dawna klasa rządząca oddaje większą część swej władzy politycznej dobrowolnie w zamian za przejęcie kontroli nad znaczną częścią gospodarki. Zrozumienie tego procesu jest kluczem do zrozumienia tego, co stało się w Związku Radzieckim – i dlaczego tak potężna zmiana dokonała się bez wielkich ofiar. [64]

Kiedy podróżowałem po ZSRR w ostatnich miesiącach istnienia imperium, lokalne centra władzy, czyli budynki miejscowych komitetów partyjnych, były zupełnie puste. Nie było w nich rządzących. Kiedy próbowałem ich odnaleźć, okazywało się, że dawni aparatczycy byli już właścicielami pierwszych prywatnych restauracji, stacji benzynowych, sklepów czy banków. Po cichu, ale w uporządkowany i zorganizowany sposób opuścili swe dawne stanowiska i zajęli nowe, tworząc w gospodarce struktury mafijne, które w znacznym stopniu rządzą dzisiaj Rosją. Dawna władza polityczna nie była już dla nich atrakcyjna, bowiem nie dawała przywilejów ekonomicznych. Dawał je natomiast nowy rynek kapitalistyczny.

Taki sam proces powtórzył się we wszystkich państwach Europy Środkowo-Wschodniej. [64]

Rosja nie została pobita w polu, nie jest upokorzona narzuconym przez obcych pokojem, z którym by się wewnętrznie nie zgadzała, jak to było z Niemcami w 1918 roku. Niemcy uważali, że nie zostali pokonani, lecz zdradzeni, i że narzucono im haniebny traktat wersalski. Imperium radzieckie po prostu się rozpadło z powodu własnej nieudolności, w Rosji nie stoją obce wojska, Rosji nikt niczego nie dyktuje. Sami Rosjanie są odpowiedzialni za żałosny koniec swego imperium. Spotykałem na Ukrainie Rosjan, którzy mówili: „Nie chcę już być Rosjaninem, chcę być Ukraińcem, bo Rosjanie to nieudacznicy, imperialiści i mordercy". To może wyjątki, ale znamienne. [41]

Dezintegracja rosyjskich armii, liczących razem trzy i pół miliona ludzi, wyszła na jaw podczas sierpniowego puczu, kiedy poszczególne dywizje brały jedną lub drugą stronę. Nie walczyły one wprawdzie ze sobą, ale jedne brały udział w puczu, a drugie odmawiały i deklarowały wierność Jelcynowi.

Ponadto w wojskach tych istnieje szalona rozbieżność między składem generalskim, superelitą, a masami niższych oficerów i żołnierzy. Generalicja, jak się okazało znów podczas puczu, nie ma z nimi żadnego kontaktu, nie wie, co się tam dzieje. Oficerowie niegenerałowie to ubodzy ludzie. Chodzą w straszny upał w ciepłych mundurach, bo nie mają niczego innego do włożenia. Oficerowie biorą też udział w wiecach opozycji, w zgromadzeniach.

Kiedy nadjechały zdobywać parlament rosyjski dwie dywizje wysłane jeszcze przez Jazowa – okazało się, że z nowoczesnych czołgów wychodzili żołnierze w trampkach. Nie mieli butów. Kobiety agitowały żołnierzy, żeby nie strzelali, ale najpierw musiały pognać do domu po jedzenie. To wojsko było po prostu głodne. Żołnierzy nakarmiono i wygrany został element psychologiczny. Wojsko poczuło, z kim powinno pójść. [18]

Proces „independyzacji" poszczególnych republik, czyli osiągania przez nie niepodległości, był w dużym stopniu procesem utwierdzania się ekip neostalinowskich, zwłaszcza w republikach azjatyckich. Często ci, którzy jednoznacznie popierają proces zdobywania niepodległości, mylą to ostatnie pojęcie z demokracją. [18]

W Azerbejdżanie, Tadżykistanie, Uzbekistanie miejscowe klany neostalinowskie ogłosiły niepodległość, bo bały się Rosjan, choć to oni do tej pory narzucali struktury przymusu. Kiedy byłem w Erewanie, akurat tworzono ormiański front ludowy. Z moich wstępnych rozmów wynikało, że ma być utworzona jakaś nowa organizacja – niepodległościowa, demokratyczna, narodowa. Gdy poszedłem na obrady, okazało się, że otwiera je i prowadzi pierwszy sekretarz KC Komunistycznej Partii Armenii.

Trzeba pamiętać zatem, że cały ten proces dokonywał się w sytuacji, kiedy nie było żadnych struktur alternatywnych, takich jak w Polsce Solidarność czy jeszcze wcześniej Kościół. [18]

Po załamaniu się Związku Radzieckiego i komunizmu, załamaniu się struktury państwowej oraz ideologicznej, Rosja weszła w okres bardzo głębokiego kryzysu. Na kryzys państwowy nałożył się ideologiczny, ekonomiczny i społeczny.

Problem Rosji polega na tym, że nie dokonała ona rozrachunku z bolszewizmem. Nikt go tam nie dokonał. W Rosji nie było, tak jak w Polsce, silnej opozycji, filarów społeczeństwa obywatelskiego. Kiedy doszło do rozpadu Związku Radzieckiego, nie istniała żadna kontrelita. W gruncie rzeczy obecna elita władzy w Rosji jest starą elitą, to jest ta sama nomenklatura, dokładnie ci sami ludzie, toteż nie mogą oni – i nie mają zamiaru – dokonywać oceny własnej przeszłości. [38]

Kołakowski pisał kiedyś, że historia Rosji to historia ciągle zaczynająca się od nowa. Historia, która ciągle się tworzy, nie ma czasu wracać do przeszłości, bo przecież ciągle się tworzy.

Rosjanie nie rozliczyli się do końca ze stalinizmem, nie dokonali oceny systemu sowieckiego. Ujawnianie afer, prawda o GUŁagu czy Katyniu – proszę bardzo. Ale i to się już skończyło. Niemcy jeszcze pięćdziesiąt lat po wojnie dyskutowali nad tym, jak mogło do niej dojść. A w Rosji wystarczy obejrzeć nowo wydawane książki. Same przekłady z literatury amerykańskiej. Żadnego wysiłku intelektualnego, żadnej próby dokonania rozliczenia. Nie sposób dowiedzieć się czegoś o tym społeczeństwie, znaleźć jakieś badania, opracowania. Rozrzucone po gazetach – tak, ale zebrane w jakieś większe opracowanie? Nic podobnego nie ma. [50]

Świadomość zagłady wydaje się powszechniejsza niż świadomość współodpowiedzialności. Oglądałem misteria staroruskie, gdzie ze sceny głoszono, że nie Rosjanie przeprowadzili w 1917 roku rewolucję, ale przeciwnie, to oni stali się jej ofiarami. Mało tego. Skoro od roku 1917 zginęło sto pięćdziesiąt milionów Rosjan, to znaczy, że prawdziwy holokaust dotyczy narodu rosyjskiego, przy czym zgładzona została lepsza część wspólnoty. To ich zwalnia z poczucia winy. [80]

Trzeba pamiętać, że w okresie stalinowskim kat też stawał się ofiarą, szły przecież kolejne fazy czystek; ten, kto jeszcze niedawno podpisywał wyroki, po paru latach sam mógł trafić do łagru, skąd później wracał jako niesłusznie prześladowany albo też, jeśli nie wracał, rehabilitowano go pośmiertnie.

Wielu ludzi młodego pokolenia dowiadywało się w roku 1956, że ich rodzice byli niesłusznie prześladowani. Żyli więc w moralnym spokoju, jednak w miarę otwierania archiwów okazuje się, że ci rodzice mogli być – jeszcze przed wyrokiem – ludźmi Jeżowa, Jagody, Berii czy kogokolwiek innego. Mało kto z ówczesnych decydentów może powiedzieć, że ma czyste ręce. Cała ogromna masa ludzi milczy, milczą ich dzieci. To są straszne problemy moralne, które bardzo utrudniają dalsze uczestnictwo w przemianach. [24]

W świadomości rosyjskiej nieustannie pojawia się i jest tłumiony problem winy. Zostało zamordowanych – według różnych szacunków – od siedemdziesięciu do stu milionów ludzi. Pytanie: kto tych ludzi zabił? Gdzie są ich oprawcy? Ażeby odsunąć odpowiedź na to pytanie, nacjonaliści rosyjscy powiadają, że to Rosjanie byli główną ofiarą, a sprawcą ludobójstwa jest międzynarodowy spisek. W ich sposobie myślenia zagłada Żydów to sprawa historycznie mało doniosła; Katyń? – w ogóle nie ma o czym mówić. Zbrodnie na narodzie rosyjskim – ich zdaniem – wszystkie te inne zbrodnie przewyższają.

W Mińsku, gdzie są przecież Kuropaty, położone dziś właściwie w obrębie miasta, odkryto niedawno, że duży park śródmiejski jest również masowym grobem, w którym leżą szczątki, jak się ocenia, od trzystu tysięcy do pół miliona ludzi. Całe góry porośnięte stosunkowo młodym lasem, zmieniony krajobraz – ręką wystarczy sięgnąć płytko pod powierzchnię gruntu i natrafia się na kości. Rozmiar tego ludobójstwa jest tak straszny, że właściwie nie wiadomo, co robić. Na niektórych masowych cmentarzyskach pobudowane są osiedla mieszkaniowe. Więc co? Burzyć dzielnice? Nie ma środków.

Tymczasem pokolenie opanowane problemem winy powoli wymiera i wyrasta nowa generacja – bardzo antysowiecka, ale w cynicznym sensie. Nie chce o tym wszystkim słuchać, nie chce wiedzieć – chce natomiast masowej kultury amerykańskiej i dobrobytu. [18]

W Rosji, odwrotnie niż na całym świecie, w politykę angażują się ludzie starzy. Wystarczy pójść na byle jaką demonstrację. Pierwszego Maja w ogóle nie było w Moskwie młodzieży, sami starcy, i to po wszystkich stronach.

Młodzież jest antypolityczna, apolityczna i całkowicie zamerykanizowana. Byłem na kolacji u znajomych. Ich kilkunastoletnia wnuczka, która chodzi do dobrej szkoły, nigdy nie słyszała o Sacharowie, nikt z jej klasy nie słyszał tego nazwiska. Zaledwie kilku uczniów słyszało o Sołżenicynie, nie wspominając o czytaniu jego książek. To pokolenie w ogóle nie chce słyszeć o przeszłości, nie chce żadnych rozliczeń – taka zaciągnięta zasłona. [50]

Rosjanie przyjęli kryzys państwa, kryzys mocarstwa, jako przejściowy kryzys. Kiedy pytałem Rosjan należących do elity władzy, czy Rosja jest groźna dla Polski i dla Europy, odpowiedź była bardzo charakterystyczna: nie, nie jesteśmy groźni, bo teraz w armii jest korupcja, nastąpił rozkład w poszczególnych rodzajach broni, są problemy z uzbrojeniem, przestarzały przemysł i tak dalej. I to była ich odpowiedź. A nie, że my już skończyliśmy z komunizmem, z wielkomocarstwową polityką, że chcemy budować demokratyczną, pokojową Rosję, że nastąpiła zasadnicza zmiana orientacji, doktryny, filozofii i koncepcji państwa. Nie, takiej odpowiedzi się nie usłyszy.

Po okresie społecznego szoku i dezorientacji po rozpadzie ZSRR od 1992 roku trwa proces odbudowywania i konsolidowania starych pozycji i starych koncepcji. Rosjanie mentalnie nie mogą się zgodzić na utratę pozycji wielkomocarstwowej. Ostatnie lata dowiodły, że rosyjskość w oczach Rosjan funkcjonuje tylko w formie wielkomocarstwowej. Koncepcja rosyjskości jest koncepcją wielkiej przestrzeni, wielkiej ekspansji i niemożności zrezygnowania z czegokolwiek, co się już posiadało. Najlepszym przykładem mogą tu być Wyspy Kurylskie. Nie stanowią one żadnej wartości poza wartością doktrynalną, taką, że rosyjski żołnierz nie ustępuje ze zdobytej ziemi. Japonia byłaby gotowa na drugi dzień wejść z całą swoją siłą ekonomiczną i rozwijać Syberię, ale przez te cztery wysepki nie może. [38]

Rosją rządzi dziś konglomerat świata polityki i świata gospodarki, o granicach niezwykle płynnych i trudnych do zdefiniowania. W zależności od tego, jakie są w tej chwili interesy tych dwóch światów, taki jest wypadkowy interes tego konglomeratu.

Rosja jest dziś wielką hybrydą. Dla okresów transformacji typowe jest przemieszanie elementów starego i nowego systemu. Możemy określić jedynie niektóre siły wpływające na kształt tej hybrydy. Jedną z nich są właśnie personalne związki i przenikanie się świata polityki i gospodarki. A dochodzi jeszcze podział na centrum i regiony i wiele innych podziałów.

Dawniej, jeszcze w Związku Radzieckim, układ sił i interesów był oczywisty. Mówiło się na przykład, że istnieją w ZSRR trzy wielkie i jednorodne kompleksy gospodarcze: zbrojeniowy i przemysłu ciężkiego, rolniczy, czyli kołchozowy, oraz paliwowo-energetyczny. Każdy z nich miał jasno określony wpływ na władzę. Dziś tych wielkich, jednolitych kompleksów, tworzących jednocześnie wielkie siły nacisku na centrum, już nie ma; w ramach każdego z nich działają rozmaite mniejsze grupy interesów.

Weźmy na przykład kompleks paliwowo-energetyczny. W Rosji świetnie się dziś miewa przemysł gazowy i naftowy, ale już górnictwo słabnie, jego znaczenie ulega marginalizacji, jak wszędzie na świecie. Interesy gazu i nafty z jednej, a górnictwa z drugiej strony są więc dziś zupełnie inne. [50]

Rosjanie są wielkimi fatalistami. Rosjanin wciąż jest jeszcze bliżej natury niż Europejczyk, a człowiek, który jest blisko niej, traktuje wszystko jako żywioł natury, jak powódź, pożar – że to się musi stać, że na to nie ma rady. Rosjanin w podobny sposób traktuje politykę państwa i swój los. Zarabia, powiedzmy, sześćdziesiąt rubli, co jest płacą głodową, i gdy się go zapyta, jak można tak żyć, pada odpowiedź: *„nu, nada tierpieť"* – trzeba cierpieć. Rosjanin jest człowiekiem, który uznaje cierpienie za element i formę swego życia. I to, jak on cierpi, jak stoi w kolejkach bez końca, jest jakby tego potwierdzeniem.

Tu tłum jest milczący. W samolocie Aerofłotu, jak się czasem trafi wycieczka zagraniczna, to od razu widać, bo jest szum, zgiełk. Jeśli się leci jakąś linią krajową, gdzie podróżują sami Rosjanie, to leci się w ciszy. Wszyscy siedzą i nikt się nie odzywa. Poruszenie, ożywienie to znak, że lecą jacyś cudzoziemcy. To wyczuwalna różnica. Rosyjski tłum będzie tłumem milczącym, stojącym godzinami, dniami i nocami na mrozie, na śniegu, nieruchomo, bez słowa, jak kamień, jak skała.

To właśnie ten fatalizm, pesymizm – traktowanie wszystkiego jako Bożego dopustu. Musimy cierpieć, bo takie jest życie... Przecież cała filozofia rosyjska, kiedy sięgniemy w przeszłość, do Bierdiajewa, do Sołowjowa, do Trubeckiego, jest właśnie filozofią cierpienia, ofiary, poświęcenia. To także powoduje, że się długo nie buntują. Ja nawet stykałem się u tych ludzi z zatrważającą cechą, a mianowicie, że czerpią jakąś masochistyczną radość z cierpienia, jakby się czuli przez to wywyższeni. Co taki człowiek Zachodu wie o życiu, jeśli on w ogóle nie cierpiał? My cierpimy, my jesteśmy prawdziwymi ludźmi, my dochodzimy do granicy człowieczeństwa. [24]

Drugie takie powiedzenie, które często się słyszy, to: „*Nikuda diet'sja*" – „nie ma się gdzie podziać"; tu jesteś, tu musisz być, bo gdzie się podziejesz. I wreszcie trzecia maksyma tej potocznej filozofii życiowej to: tak dobrze, jak było dzisiaj, to już nigdy nie będzie. Ciesz się z dnia. Nie widać, żeby ludzie się poważnie buntowali. [18]

Trzeba pamiętać, że do prawdziwego buntu – nie do kiełbasianej ruchawki, ale do obywatelskiego, społecznego buntu – potrzebne jest jakieś minimum ludzkiej egzystencji. Tymczasem człowiek radziecki to jest taki człowiek, który od rana do nocy tyra i stara się cokolwiek kupić. To jest człowiek śmiertelnie zmęczony, który ledwo żyje. Kiedy idzie się ulicami albo jedzie metrem, widzi się twarze ludzi padających ze znużenia. Wydaje mi się, że suma tego wszystkiego sprawia, iż ten tłum jest raczej pokorny – może wyzywać kogoś, okazywać niezadowolenie, ale nie przybiera to innych form działania zbiorowego. [24]

Problem polega na tym, że Związek Radziecki nie wytwarzał nigdy żadnych narzędzi użytku indywidualnego. Dekret niczego nie zmienia dla rzeczywistości wyzbytej motyki i bron. Widziałem w Uzbekistanie koło Taszkientu chłopów uprawiających ziemię za pomocą metalowego pręta, niby-kilofa, tak jak przed setkami lat. Identycznie jest w centrum metropolii: hydraulik moskiewski ma do dyspozycji tylko młotek. Przemysł nastawiony został na produkcję wielkich maszyn, w sferze budowlanej dominuje wielka płyta, murarze ręcznie mieszają cement, brakuje im po prostu kielni. To już trudno nazwać zacofaniem. To jest przepastna cywilizacyjna czarna dziura. [80]

Rosji nie sprzyja natura. Przede wszystkim są tu bardzo ubogie ziemie. Dlatego Ukraina jest tak ważna, bo ma jedyne płodne gleby. Nieurodzajność ziemi łączy się z trudnym, zimnym klimatem i ciemnościami – krótkim okresem wegetacyjnym. W Skandynawii wypracowano techniki, które umożliwiają wysianie i zebranie zboża w czasie, na jaki pozwala ta szerokość geograficzna, czyli w cztery–pięć miesięcy. Ale to wymaga bardzo wysokiej techniki, nawożenia i narzędzi, których Rosjanie w ogóle nie mają. [18]

W Rosji panuje bieda mieszkań i bieda stosunków międzyludzkich – wzajemna nieufność, lęk, agresja i chamstwo. To wszystko jest biedą, a ta strasznie deformuje człowieka. Na Zachodzie myśli się, że jeżeli Rosja jest biedna czy Afryka jest biedna, to trzeba po prostu dać im jeść, a w domyśle pozostaje sugestia, że to rozwiąże problemy. To niczego nie rozwiązuje, najwyżej przedłuża biologiczne trwanie tych ludzi.

Myślę, że jednym z największych problemów społeczeństwa rosyjskiego będzie wychodzenie z biedy. Jest to proces bardzo przewlekły, bardzo bolesny i bardzo trudny. Ale problemem fundamentalnym i najistotniejszym będzie dla Rosjan odnalezienie i określenie własnej tożsamości. [54]

Kiedy u nas w stanie wojennym i później odbywały się demonstracje uliczne – wszystko miało jeden kolor. Solidarność – jedna barwa, te same sztandary. Natomiast na manifestacji w Moskwie czy Sankt Petersburgu – zupełna dżungla: las nazw partii typu regionalnego, wszelkich odcieni politycznych, od Pamiati i Memoriałów, przez anarchistów, anarchosyndykalistów, różne demokracje, monarchistów... wszystkich. Wtedy widać, jak bardzo daleko zaszła tam dezintegracja. W dalszym ciągu nie istnieje wspólna idea, hasło. Jedynym elementem łączącym jest nacjonalizm, wobec czego każdy, kto pretenduje do roli przywódcy politycznego, hasło to wykorzystuje, bo też i nie ma innych haseł, które do ludzi by przemawiały. [18]

Nie mają Boga w niebie i nie mają bogów na ziemi. Są zupełnie samotni wobec własnego dramatu. Teraz szukają wyjścia z tej sytuacji. To jest moment, w którym

Rosja szuka wyjścia z wielkiej zapaści. Następuje pewne stopniowe odradzanie się wartości narodowych. Zaczyna powracać cała wielka mistyka Rosji. Rosja zawsze była dla Rosjan pojęciem mistycznym, była czymś takim, co nie było zwykłym pojęciem ojczyzny, ale raczej pewną metafizyką, transcendencją. [60]

Kiedy jeździłem po tym wielkim kraju, nikt nie pytał mnie o nazwisko, o zawód, za to wszyscy pytali o narodowość. Stewardesa na lotnisku też nie wywoływała mnie po nazwisku, tylko krzyczała: „*Polsza*!". Zupełnie jakby narodowość była jedynym czynnikiem wyróżniającym człowieka, a wszystko to w kraju, który wypisywał na swoich sztandarach hasło internacjonalizmu. Kiedy rozmawiałem z Azerbejdżaninem o jakimś Ormianinie, i na odwrót, to nie było ważne, czy ów Ormianin jest wielkim matematykiem, czy pisarzem, czy jest ładny, czy brzydki, młody czy stary – ważna była tylko narodowość.

Gdzie szukać przyczyn nacjonalizmu? Myślę, że przede wszystkim w warunkach ekonomicznych, w społecznej nędzy. Konflikt zaczyna się od walki o podział kawałka chleba, który ma starczyć dla wszystkich. Ileż pogromów i krwawych starć zaczynało się od walki z konkurentami do deficytowych mieszkań, deficytowych towarów czy też o dostęp do lepiej zaopatrzonego sklepu. W tłumie napierającym na pusty sklep identyfikacja najłatwiej dokonuje się na podstawie kryteriów narodowościowych. Tak było w Ferganie z Turkami meschetyńskimi, w Baku z Ormianami i w kirgiskim mieście Osz z Uzbekami. [10]

Dwoistość charakterystyczna dla rosyjskiej kultury, przysparzająca wielu problemów człowiekowi z zewnątrz. Z jednej strony mamy ową bezduszną oficjalność, obojętność, niekiedy nawet wrogość, z drugiej – wspaniałą ekspresję uczuć. Powiedziałbym, że można odnaleźć tam dwie etyki, zupełnie tak, jak w społeczności plemiennej. W stosunku do Innego dominuje niechęć i jakby obowiązuje obcość. Dopiero dla współplemieńca wszystko się załatwia, a więc żeby żyć, trzeba dostać się do wnętrza tego świata. [80]

Na południu Rosja miała zawsze ogromne problemy. Stale była tam zaangażowana w wojny – krymskie, kaukaskie, wojny w środkowej Azji. W rosyjskiej literaturze dziewiętnastowiecznej obecność Rosjan na południu była zawsze obecnością w twierdzach, miała zawsze charakter okupacyjny. Rewolucja bolszewicka odbyła się w 1917 roku, a ruchy partyzanckie na terenie Uzbekistanu i w ogóle w Azji funkcjonowały jeszcze do roku 1940. Kiedy weszli tam Niemcy, zaczęły się formować dywizje uzbeckie, kazachskie, które walczyły po stronie Hitlera przeciwko Rosji. Ruch oporu w różnych postaciach istniał tam praktycznie zawsze. Stąd masowe przesiedlanie całych narodów na Sybir przez Stalina.

W Czeczenii nakładają się dwa konflikty. Jeden to konflikt państwowy – próba odbudowania dawnego Związku Radzieckiego pod inną nazwą, czyli próba rekolonizacji po okresie dekolonizacji, jaka nastąpiła po 1991 roku. Drugi konflikt, bardzo istotny, to konflikt między Rosją, rosyjskością – powiedzmy nawet z dużymi zastrzeżeniami – prawosławiem a ekspansją islamu.

Pozycja Rosji jest tam bardzo zagrożona, choćby z przyczyn demograficznych. Rosjanie mają czwarty kolejny rok ujemnego wzrostu demograficznego, natomiast ludność nierosyjska Federacji Rosyjskiej, w tym na przykład Czeczenii, przyrasta w tempie sześciokrotnie wyższym. Jeżeli tendencje te się utrzymają, to w ciągu trzydziestu–czterdziestu lat Rosjanie będą w Rosji w mniejszości. A nie-Rosjanie w Rosji to przede wszystkim turkojęzyczni muzułmanie. [38]

Nie można pytać, kto wygra, kto przegra w Czeczenii, można tylko zadać pytanie: czy ten konflikt może być stłumiony, czy nie może być stłumiony? Doraźnie, przy zbrojnej pomocy, można ten konflikt stłumić. Ale Rosja nie może wygrać wojny z islamem. Islam to dziś najbardziej ekspansywna religia, o wielkiej sile oddziaływania na ludy ubogie, szukające swego miejsca na świecie. Przy obecnej ekonomicznej i militarnej słabości Moskwy, przy ogromnej dynamice tamtych społeczności, które mają poparcie całego światowego islamu, przede wszystkim Iranu i Turcji, przed Rosją znowu pojawia się groźba płonącej granicy. Ludy regionu kaukaskiego nie są wolne od wewnętrznych konfliktów, ale potrafią połączyć się we wspólną federację. I wtedy stanowią ogromną siłę. Dochodzą do tego warunki terytorialne, w których regularna armia nie może wygrać wojny.

Dla Rosji może się otworzyć nowy Afganistan. To społeczeństwo miało już tak zwanych afgańców, teraz będzie miało Czeczeńców, potem może mieć Inguszów. W stalinizmie można było do tego dorobić ideologię, że trwa walka o komunizm i trzeba zwalczyć kontrrewolucję. Ale jak utrzymywać stosunki z Zachodem i oczekiwać jego pomocy, głosić politykę demokracji, otwartości, reform, a jednocześnie brać pod but całe narody? Tego nie da się pogodzić. Jak taką interwencję uzasadnić? Czym? [38]

Rosja jest na rozdrożu. Tradycyjnie ścierają się tam dwie siły – słowianofili i „zapadników", a zatem tych, którzy uważają, że Rosja stanowi odrębny świat ciążący w stronę Azji i słowiańskiej Europy, oraz tych, którzy chcą przyłączyć Rosję do Zachodu. Być może, żadna z tych opcji ostatecznie nie wygra i przyszłość będzie naznaczona zmaganiami tych dwóch tendencji.

Rosja prawdopodobnie nie wróci do swej wielkomocarstwowej pozycji. Będzie zapewne nadal przejawiać imperialne ciągoty, ale czas wielkich mocarstw już się skończył – dzisiaj siły państwa nie mierzy się przestrzenią terytorialną. Najrozleglejszy kraj w Afryce – Sudan – jest zarazem jednym z najsłabszych państw kontynentu. Holandia czy Izrael mają mocną pozycję na arenie międzynarodowej, choć są mniejsze niż republiki rosyjskie. Rosja będzie musiała na nowo budować swój międzynarodowy prestiż. [65]

Na pozycję Rosji w świecie trzeba patrzeć nie tylko z perspektywy Warszawy. Gdy się patrzy na Rosję od strony Pacyfiku, schodzi ona na dalszy plan. Udział Rosji w handlu cywilizacji Pacyfiku wynosi około jednego procenta. Inaczej patrzą na Rosję Amerykanie, którzy są zainteresowani utrzymaniem jej stabilności ze względów geostrategicznych. Dla nich największym zagrożeniem w przyszłości będą Chiny i jedynym krajem, który może być przeciwwagą, także dla islamu, jest Rosja. Polacy tego nie rozumieją i oskarżają Amerykanów o naiwność, a oni po prostu realizują swoje interesy. [13]

Po 11 września zaczął się wytwarzać zupełnie nowy układ świata, ponieważ naruszone zostały zasady rządzące dotąd dystrybucją energii. Dawniej głównym konsumentem paliwa były Stany Zjednoczone i Zachód, dostawcą – arabski świat islamu. Konflikt bardzo zagroził temu mechanizmowi. Jak poradziłyby sobie Stany Zjednoczone, gdyby bin Laden zwyciężył jutro na przykład w Arabii Saudyjskiej? To dramatyczne pytanie, bo cywilizacja amerykańska nie może funkcjonować bez dostaw tamtejszej ropy dłużej niż tydzień.

Dlatego Amerykanie zaczynają szukać alternatywnych źródeł energii. A te znajdują się w obszarze wpływów rosyjskich: w Azji Środkowej, Afganistanie, nad Morzem Kaspijskim. Dalsze bezpieczne funkcjonowanie Stanów Zjednoczonych może zależeć więc od Rosji, co Putin doskonale rozumie. Widzi, że oto pojawiła się szansa na odbudowanie międzynarodowego znaczenia Rosji po upadku Związku Radzieckiego. W tej wielkiej grze postawa Putina jest kluczowa dla przyszłości Stanów Zjednoczonych i świata. Dlatego Amerykanie przymykają oczy na łamanie praw człowieka w Czeczenii. [37]

Interesuje mnie głównie to wielkie załamanie cywilizacyjne u naszego wschodniego sąsiada, ta wielka czarna dziura, która została po stalinizmie, jego pozostałości w postawach ludzi i w ich sposobie myślenia. Słowem, wszystko to, co nazwać można krótko: człowiek i system.

Dużo się teraz dyskutuje o tak zwanym końcu historii. Mówi się, że koniec konfrontacji ideologicznej między wielkimi mocarstwami Wschodu i Zachodu, klęska komunizmu, jest zarazem końcem historii. Dla mnie jako reportera i historyka z wykształcenia jest to jednak tylko koniec pewnej historii. Według mnie, historia związana z wątkiem narodowym i narodowościowym dopiero się zaczyna. Pasjonuje mnie pytanie: przez jaki nowy konflikt zostanie zastąpiony dotychczasowy konflikt ideologiczny, który zakończył się całkowitą klęską komunizmu? [10]

Lata 1989–1991 zmieniły wszystko, jednakże zakończenie konfliktu Wschód–Zachód zostało mylnie uznane za globalne i ostateczne zwycięstwo demokracji liberalnej. W latach dziewięćdziesiątych nastąpił „dziesięcioletni urlop od historii", spędzany na rozrywkach, bogaceniu się i konsumpcji – zakończony gwałtownie 11 września 2001 roku. [37]

Od „Europy świata" do „Europy w świecie"

Przez całe dziesięciolecia zajmowałem się Trzecim Światem, przekonany, że toczy się tam właściwa historia. I to tam fascynowała mnie historia w działaniu. A Europę omijałem, jako ustabilizowaną przez podział jałtański, bo wszystko tu było od początku do końca wiadome. I ten to obraz zburzył mi się w roku 1989, ponieważ tamten rok stworzył zupełnie nową sytuację, jak gdyby otworzył nową zasadniczą dyskusję na temat Europy. Toczy się ona poniekąd na dwóch płaszczyznach. Jedną wyznacza pytanie, jaka jest dziś definicja Europy i jakie są Europy granice. Drugą – jakie jest miejsce naszego kontynentu w wielkiej transformacji świata. I dlatego dla mnie Europa stała się ciekawa. [41]

Czy Europa ma swoją tożsamość? Jak ją zdefiniować? Co łączy mieszczucha z Zurychu z wczorajszym kołchoźnikiem spod Tbilisi? Jeżeli powiecie temu mieszczuchowi, że on i ów kołchoźnik są Europejczykami – oburzy się, ale jeśli powiecie owemu chłopu, że nie jest Europejczykiem – też się oburzy. Który z nich ma rację? Pytania te są szczególnie aktualne dziś, po zakończeniu zimnej wojny, po rozpadzie Związku Radzieckiego i Jugosławii. [32]

Do tej pory mieliśmy dwie Europy: rozwiniętą Zachodnią i nierozwiniętą Wschodnią. Jest to nie tylko rezultat Jałty i podziału na demokratyczny Zachód i zdominowany przez Moskwę Wschód, którego wynikiem była utrata przez państwa Europy Wschodniej pięćdziesięciu lat rozwoju gospodarczego. Podział na uprzemysłowiony Zachód i rolniczy Wschód rozpoczął się już w siedemnastym wieku, po wielkich odkryciach geograficznych, z których skorzystał przede wszystkim Zachód. Przezwyciężenie tego podziału, którego korzenie sięgają czterysta lat w przeszłość, będzie bardzo trudne.

Do niedawna chłopstwo było główną warstwą i główną siłą społeczeństw wschodnioeuropejskich. Dziś znajduje się ono w poważnym kryzysie. Rozwój technologii sprawił, że w Stanach Zjednoczonych więcej ludzi jest zatrudnionych na uniwersytetach, niż pracuje w rolnictwie. W Polsce chłopstwo wciąż stanowi jedną trzecią społeczeństwa, gospodarstwa rolne są małe i nieprzygotowane technologicznie na dwudziesty pierwszy wiek. Nie wiadomo, jak ten problem rozwiązać.

Jest historyczną tragedią, że dwie główne siły rewolucji antykomunistycznej: klasa robotnicza i niezależne chłopstwo, są największymi przegranymi tej rewolucji. Te dwie warstwy najwięcej straciły na przejściu do wolnorynkowej gospodarki. Dlatego, między innymi, polscy chłopi sprzeciwiali się wejściu Polski do Unii Europejskiej. Obawiali się, że nie będą w stanie konkurować z lepiej rozwiniętym rolnictwem państw zachodnich. [64]

Zbierając materiały do *Imperium*, podróżowałem po Rosji i byłym Związku Radzieckim. I muszę powiedzieć, że dla mnie zasadniczy fakt istnienia dwóch Europ nie tylko się utrzymuje, ale po roku 1989 wręcz pogłębia. Wynika to ze wzajemnych rozczarowań. W roku 1989 powstało wiele naiwnych oczekiwań – zresztą po obu stronach dawnej żelaznej kurtyny. Teraz obie strony przekonały się, że to było bardzo mało realistyczne.

Europa Wschodnia liczyła, że natychmiast otrzyma bardzo proste sprawy – gospodarcze ozdrowienie i swobodę podróżowania. Ponieważ zasadniczo nie ufano komunistycznej propagandzie, więc nie wierzono też, że na Zachodzie istnieje coś takiego jak recesja. Jednocześnie wielu ludzi – przekonałem się o tym na Litwie, Łotwie i w Estonii – sądziło, że kiedy będą mieli własne państwo, otrzymają paszport i będą mogli wyjechać na Zachód.

Z kolei zasadniczy błąd w rachubach Zachodu polega na tym, że obowiązywała teoria, iż komunizm to wyłącznie sztuczny twór. I jeśli zostanie zlikwidowany, natychmiast zapanuje demokracja. Zamykano oczy na fakt, że w systemie komunistycznym istniały dwa elementy odpowiadające wschodnim społeczeństwom: opieka socjalna państwa oraz pełne zatrudnienie.

Obecnie, moim zdaniem, panuje głęboki kryzys w stosunkach między Europą Wschodnią i Zachodnią. Oczekiwania i entuzjazm minęły, a pozostały nieporozumienia i wzajemna nieufność. Okazało się bowiem, że są to naprawdę dwie zupełnie różne Europy. [41]

Za jednym zamachem wschodnia Europa miałaby się pozbyć całej swej ponurej rzeczywistości, która uczyniła ją nie do wytrzymania: brudu, korupcji, złej dyscypliny pracy, niechlujstwa i nieefektywności we wszystkich dziedzinach. Nie dostrzeżono następstw poważnego społecznego zniszczenia spowodowanego czterdziestoma pięcioma latami komunizmu. [19]

Komunizm zawiera także elementy kulturowe. Rosyjski emigrant Michał Heller pisze w książce pod tytułem *Maszyna i śrubki*, że komunizm przegrał na wszystkich frontach, ale wygrał na polu wychowania człowieka. System ten pozostawia trwałe ślady w mentalności, sposobie oglądu świata, ocenie rzeczywistości.

Jedną z największych słabości prawicy było to, że nie doceniła przydatności komunizmu dla biurokracji. Dawał jej władzę, przywileje i panowanie bez kontroli. W momencie upadku komunizmu w 1989 roku i dojścia do władzy Solidarności należało przede wszystkim opanować państwo i administrację. Tego nie zrobiono. Do dzisiejszego dnia panuje biurokracja w stanie niezmienionym, na przykład jesteśmy odcięci od świata przez monopol telefoniczny. Nie ruszając biurokracji, zachowaliśmy starą strukturę władzy. Na Zachodzie nie rozumieją, dlaczego w warunkach wolności ponownie wybrano komunistów. Stało się tak, bo zachowały się siły żywotnie zainteresowane komunizmem nie jako ideologią, lecz jako modelem władzy. [13]

Istotą cywilizacji, czego dowiedli Vico, Toynbee i inni, musi być dynamika. Cywilizacja istnieje tak długo, jak długo znajduje się w fazie ekspansji; potem następuje jej zmierzch. Na Zachodzie jest bardzo silne poczucie kryzysu. Na pytania: jaki jest nasz program wobec świata? co mamy dalej robić?, Zachód nie znajduje odpowiedzi i jedyne, co tam naprawdę interesuje ludzi, to kontynuacja wysokiej konsumpcji. [13]

Zaczyna się odradzać sytuacja, w jakiej znalazło się Imperium Rzymskie, które w miarę postępujących trudności odgradzało się granicami od świata barbarzyńskiego. Z zewnątrz mogło nadejść tylko zło.

W mediach światowych traktuje się świat niezachodni w kategorii zagrożenia: islam – terroryści, Rosja – mafia, Polacy – złodzieje samochodów. Wytworzyła się bardzo niezdrowa relacja, ze strony Zachodu bardzo egoistyczna i krótkowzroczna. Najlepszym przykładem jest Europa Środkowa, wobec której Zachód nie ma żadnej polityki, ale dotyczy to całego niezachodniego świata. [13]

Proszę zauważyć, jakie nastąpiło ciekawe przesunięcie pojęcia Europy. Dawniej, jeszcze w okresie żelaznej kurtyny, na Zachodzie o jego mieszkańcach mówiło się „Europejczycy", a tu był „blok komunistyczny". Po 1989 roku zupełnie zmieniło się nazewnictwo. To bardzo charakterystyczne, bowiem za tym kryją się bardzo istotne kulturowe konsekwencje. W zachodniej prasie nie mówi się już „Europejczycy", lecz „my, zachodniacy"...

W 1996 roku udzielałem wywiadu amerykańskiemu dziennikarzowi, który przyjechał z Bostonu do Europy i przygotowywał cykl reportaży o tym, co się myśli w Europie o Europie. W zachodniej Europie nie mógł znaleźć nikogo, kto myśli o Europie. Tylko tu, we wschodniej, myśli się o Europie. To my chcemy, by ta Europa się poszerzyła. Zachód się boi, bo nie wie, co z tym wszystkim zrobić, boi się, że to będzie tylko kosztowne. I jeśli chce się dziś dyskutować o Europie, to można dyskutować o niej w Pradze, Budapeszcie, Warszawie, Poznaniu, ale nie znajdzie się ludzi, którzy będą chcieli rozmawiać o Europie na Zachodzie, bo tam oni już są zachodni... [12]

Tuż po zburzeniu muru berlińskiego w 1989 roku był moment euforii: ludzie z obu części miasta spotkali się i wydawało się, że teraz nastąpi sielanka. Ale wkrótce przyszło rozczarowanie. Na przykładzie berlińczyków wszyscy Niemcy uświadomili sobie, jak wiele ich dzieli, jak mało mają sobie do powiedzenia, słowem – że po latach walki ideologicznej i fizycznego muru pozostał mur psychiczny. Mieszkałem w Berlinie przez cały rok 1994. Spotykałem mnóstwo ludzi z różnych środowisk. Wszędzie było widać tę mentalną barierę, ten stary-nowy mur. Nawet w kręgach intelektualnych. Bywając na spotkaniach pisarzy w dawnym Berlinie Zachodnim, pytałem: czy jest ktoś z Berlina Wschodniego? I okazywało się, że nie było nikogo. [45]

W 1994 roku miałem wieczór autorski w Teatrze Brechta w Berliner Ensemble. Od zaproszonych znajomych usłyszałem: wybacz, że nie przyjdziemy, ale my tam nie jeździmy. Tam, to znaczy do wschodniego Berlina. To „tam" brzmiało, jakby chodziło o jakąś zupełnie inną planetę, mimo że to jest przecież jedno miasto. I nie było daleko, zaledwie dwa przystanki metrem. Tylko że to jest świat, z którym zachodni berlińczycy nie chcą się identyfikować, odbierają go właśnie jak inną planetę, jak obcy świat.

I co mnie zastanowiło, to brak po obu stronach jakiejkolwiek inicjatywy zbliżenia, brak jakiejkolwiek chęci wzajemnego poznania się, poszukiwania wspólnych pomostów i wspólnego języka. Te społeczności manifestacyjnie żyją osobno. To dla mnie bardzo interesujące, bo to rzutuje na całą sytuację Europy, na całą sytuację przecież i nas, Europy Wschodniej, Polaków, wszystkich. Chodzi o to, że Europa Zachodnia nie tylko traktuje cały świat postkomunistyczny jako Europę drugorzędną, ale także jako taką właśnie Europę, z którą jakby nie bardzo chce mieć do czynienia, którą nie bardzo chce akceptować. Jest niechętna poszerzeniu pojęcia Europy na całą Europę geograficzną. [9]

Jest linia autobusowa w Berlinie łącząca część wschodnią i zachodnią. Często wracałem nią wieczorami do domu. To było niezwykłe doświadczenie. Wsiadałem do zatłoczonego autobusu w części wschodniej. Przejeżdżałem kilka przystanków i pojazd raptem się wyludniał. Zostawał tylko kierowca i ja. Wtedy autobus wjeżdżał w zupełne ciemności. Znaczyło to, że znaleźliśmy się w centrum. Przejeżdżaliśmy tak dwa czy trzy przystanki i znowu nagle zaczynali wsiadać ludzie – byliśmy w zachodnim Berlinie. To przeżycie pokazuje, czym jest Berlin. [45]

Dlatego doświadczenie Berlina jest ważne dla Europy, bo pokazuje, jak wielkie różnice powstały wskutek długotrwałego podziału kontynentu. Że pół wieku robi swoje i nie wystarczy wycofać czołgi i znieść system przemocy, aby skończył się podział Europy na komunistyczną i demokratyczną. Że pozostają różnice w mentalności, postawach, sposobie myślenia i odczuwania. Jednoczenia Europy nie załatwi się więc poprzez mechaniczne przyjęcie byłych państw komunistycznych do NATO czy Unii Europejskiej, bo rzecz jest w głębokich różnicach kulturowych. W Berlinie jest to szczególnie wyraźne. Zachód robi tam wielkie wysiłki w celu zniwelowania różnic. Od 1990 roku do połowy lat siedemdziesiątych „stara" Republika Federalna w rozwój terytorium byłej NRD włożyła co najmniej osiemset miliardów marek. Jest to więcej niż cała pomoc Zachodu dla Europy Środkowo-Wschodniej. I nic. [45]

Fakt, że obóz komunistyczny rozpadł się tak szybko i tak ostatecznie, czego nikt nie przewidział, to najlepszy przykład, jak zawodna jest dziś futurologia. Proces powstawania dojrzałych, doświadczonych instytucji społeczeństwa obywatelskiego wymaga czasu. Ralf Dahrendorf, socjolog, wielki autorytet, prezentował niegdyś kalkulację opartą na cyfrze sześć. Na pytanie, jak szybko można zmienić sytuację w Europie Wschodniej i Środkowej, powiedział, że w sześć miesięcy można zmienić ustrój polityczny. W sześć lat można uporządkować gospodarkę. Ale żeby stworzyć prawdziwie obywatelskie społeczeństwo, na to trzeba sześćdziesięciu lat. Ja jestem optymistą, więc uważam, że pięćdziesiąt lat wystarczy. [66]

Nowa konfiguracja to coraz więcej społeczeństwa, a coraz mniej państwa. Szczególnego znaczenia nabiera problem inicjatywy. Najbardziej archaiczną formą bytowania jest takie społeczeństwo, które czeka, że z góry coś przyjdzie. Teraz już nikt nie powie, nie przekaże, trzeba samemu przejmować inicjatywę we własne ręce. I tylko ci, którzy to robią, wygrywają. Niemożność odnalezienia się wielu ludzi w krajach postkomunistycznych jest klasycznym tego przykładem. Nie mogą się znaleźć w nowej sytuacji ci, którzy nie potrafią się zdobyć na żadną inicjatywę. Problem inicjatywy staje się absolutnie kluczowy dla pozytywnego funkcjonowania w nowej, postmodernistycznej rzeczywistości. [12]

Europa Zachodnia wiele mówi o stworzeniu jednej Europy, ale tak naprawdę wcale nas nie chce. Nie chce płacić za zjednoczenie Europy i brać na siebie obciążeń w postaci mniej rozwiniętych krajów. Dlatego jednoczenie Europy jest procesem powolnym, pełnym napięć i sprzeczności. [64]

Myślę, że jeden z głównych problemów tej nowej Europy polega na niewystarczającym zaangażowaniu inteligencji, ludzi odpowiedzialnych za media, kształtujących myślenie. Obserwuję to po wszystkich stronach – polskiej, niemieckiej, francuskiej. Trzeba o wiele intensywniejszej pracy nad zbliżeniem, więcej inicjatyw, więcej woli, bo w gruncie rzeczy my wszyscy mijamy się nawzajem. [41]

Wątpię jednak, żeby w ogóle była możliwość zunifikowania totalnego. Nie na tym zresztą powinna ta unifikacja polegać, chodzi raczej o Europę równych szans. Natomiast kulturowo zawsze będą różne regiony tego kontynentu. [9]

Obecnie mamy poczucie wchodzenia w zupełnie nową epokę historyczną, tymczasem nasza wyobraźnia pozostała w tyle, gdyż formowana przez minione stulecia, jest przystosowana do dużo powolniejszego świata. Ostatecznie ukształtowała się w połowie dwudziestego wieku, w epoce świata klarownie podzielonego.

Dziś ten bipolarny świat – tu Wschód, a tu Zachód, tu komunizm, a tu demokracja – nie istnieje. Wszystko się o wiele bardziej złożyło i skomplikowało. W rezultacie nasza wyobraźnia nie umie uchwycić tego nowego porządku świata, nie umie go sobie oswoić. To powoduje naszą bezradność w otaczającym świecie, nieumiejętność poruszania się w nim. Uważam, że zadaniem ludzi, którzy próbują zrozumieć ten nowy świat, starają się go poznać i opisać, jest nieustanne dążenie do syntetyzowania i odnajdywania nowych sensów i nowych porządków. [54]

Przez ostatnie pięć wieków, a więc od czasu wypraw Kolumba, istniała pewna „nierówna równowaga", która charakteryzowała kulturową sytuację świata, a mianowicie przez owe pięćset lat na naszej planecie dominowała kultura europejska, której wzorce, miary i symbole stanowiły uniwersalne kryterium dla wszystkich. Europa panowała nie tylko politycznie i ekonomicznie nad światem, również jej kultura była punktem odniesienia i wartościowania wszystkich pozostałych – jakże zresztą licznych i odmiennych – kultur.

Wystarczyła znajomość kultury europejskiej, więcej – wystarczyło po prostu być Europejczykiem, naturalnym lub naturalizowanym, aby czuć się wszędzie gospodarzem, panem domu, włodarzem świata. Europejczyk nie potrzebował do tego żadnych kwalifikacji, dodatkowej wiedzy, szczególnych przymiotów rozumu czy charakteru. Obserwowałem to jeszcze w latach pięćdziesiątych i sześćdziesiątych w Afryce i w Azji. [33]

Zorientowałem się, że dzisiaj zwiedzanie świata jest podróżowaniem do wyraźnie zaznaczonych kręgów – znacznie bardziej niż kilkanaście lat temu odczuwalna jest zmiana miejsca pobytu na naszej planecie. Dawniej, ze względu na dominację europejskiego wzorca, wszędzie można się było czuć bardziej lub mniej u siebie – słyszało się europejską muzykę, dostępna była prasa czy książki w języku angielskim, wiele było europejskich uczelni czy hoteli. Ale obecność Europejczyków na planecie się kurczy. Są, oczywiście, na Starym Kontynencie, ale kiedyś było ich mnóstwo w Afryce, Azji czy Ameryce Południowej. Teraz zniknęli, a wraz z nimi zacierają się ślady europejskich wpływów na naszym globie. Zostało jeszcze trochę placówek misyjnych, lecz i one przeżywają kryzys. [65]

Myślę, że wizja Spenglera o zmierzchu Zachodu zaczyna się spełniać po stu latach. Z tym że nie chodzi tu o Zachód, ale konkretnie o Europę Zachodnią z jej zamkniętą mentalnością. Le Carré powiedział niedawno, że pieriestrojka miała miejsce w Związku Sowieckim i doprowadziła do jego upadku, lecz na Zachodzie jeszcze się nie zaczęła. Powiedziałbym inaczej: Europa Środkowo-Wschodnia wie, że nigdy już nie będzie taka, jaka była dotąd, ale Europa Zachodnia nie chce jeszcze przyjąć do wiadomości, że i ją czeka podobny los. [79]

Zaczęła się detronizacja Europy. Wiek dwudziesty, poza wielkimi osiągnięciami Europy, dowiódł, że – jak pisze George Steiner – „w jej kulturze tkwią również odruchy ludobójcze", że w tym stuleciu na polach i w miastach naszego kontynentu zginęło ponad siedemdziesiąt milionów ludzi, że tu dokonała się straszliwa apokalipsa Holokaustu. Żadna cywilizacja nie wyróżniła się takimi kontrastami między dobrem i złem jak europejska. [32]

W pojęciu samokrytyki zawsze zawarte jest pojęcie winy, jakieś pojęcie kompleksu winy, podczas kiedy nie chodzi o sprawę winy, chodzi o to, by przemyśleć i skorygować postawę czy panujące poglądy, tak żeby je dostosować, zaadaptować do nowej sytuacji, która się dzieje w świecie. Przecież Europa nie istnieje niezależnie od świata, jest częścią świata i ten zmieniający się świat wymaga stałej readaptacji. Tutaj nie chodzi więc o samokrytykę, tu chodzi o readaptację, o znalezienie odpowiedzi na nowe pytania. [17]

Kiedyś po świecie wędrowali niemal wyłącznie Europejczycy. Bogatsi, nowocześniejsi, silniejsi, z poczuciem misji i żądzą ekspansji. Teraz widzimy odwrotny proces. Europejczycy wycofują się do Europy, do której coraz liczniej ściągają przybysze z Azji i Afryki. Molukańczycy do Holandii, Arabowie i Afrykanie do Francji, Pendżabczycy, sikhowie czy Bengalczycy do Wielkiej Brytanii. Jako dawni poddani imperiów, mają często nawet ważne paszporty otwierające drzwi do dawnych metropolii, w których przysługują im te same prawa co obywatelom europejskim. [8]

Inne społeczeństwa albo pozwolą zachodniej Europie na to, by nadal trwała w stanie wiecznej konsumpcji, albo rzucą wyzwanie tej pozycji. Jak będzie się Europa Zachodnia przeciw temu broniła? To bardzo dramatyczny problem. Jeśli spojrzymy na to, jaka jest sytuacja w myśli politycznej Europy, to polityką Zachodniej Europy jest przedłużyć, jak długo się da, wysoki poziom życia i konsumpcji. I to jest naturalne.

Jeżeli jednego dnia pojedziesz do takiego miejsca jak Ruanda, a potem tego samego dnia lądujesz w Paryżu lub Rzymie – co mi się czasami zdarza – to zastanawiasz się, czy aby żyjemy na tej samej planecie. To taka kolosalna różnica, różnica egzystencji. Czy inni ludzie, którzy są znakomitą większością, dopuszczą, by ten wysoki standard życia trwał? Jak długo będą na to pozwalać? Jakimi metodami się posłużą, by narzucić bardziej sprawiedliwy świat? [51]

W Teheranie najwytworniejszą promenadą była aleja Rezy Pahlawiego. Gdy obalili szacha, natychmiast ulica ta została zawalona przez budy, handlarzy, garkuchnie i tak dalej. I śmieci. Tak samo jest w Europie Zachodniej – jej ekskluzywność się kończy. Nie ma już tej wyśnionej Europy. W 1995 roku po długiej przerwie byłem w Paryżu. Przyleciałem wieczorem i jechałem autobusem z lotniska. Mijałem takie dzielnice, że mogłem pomyśleć: jestem w Nairobi. W ogóle nie było widać białych ludzi. Rozwalające się stragany, budy z jedzeniem, półnagie, bawiące się w kałużach czarne dzieci. W stolicy Europy.

Proces powstawania wielokulturowej Europy będzie coraz szybszy. Polska czy Czechy jeszcze tego nie odczuwają, bo są za mało atrakcyjne ekonomicznie, aby przyciągać społeczność z Trzeciego Świata. Ale ten Trzeci Świat będzie podbijał Europę. Nie mógł jej zdobyć frontalnie w okresie dekolonizacji – wszystkie tak zwane ruchy państw niezaangażowanych rozpadły się. Wobec tego metodą ekspansji stanie się inwazja demograficzna. Stany Zjednoczone już są zalane przez takich imigrantów. Grozi to też Europie Zachodniej. Pierwsze oznaki już widać: w Londynie, Rzymie, Hamburgu. Także Berlin zostanie „utrzecioświatowiony". Mówimy: Berlin Wschodni czy Zachodni. Ale powstanie także trzeci Berlin, którego symbolem będą kioski z tureckimi gazetami albo prowadzone przez Turków bary. To nieuniknione. Bo to jest wolny rynek i konkurencja. Człowiek żywi się w Berlinie niemieckim bockwurstem albo tureckim kebabem. Gdy bierze bockwurst, dostaje kiełbaskę, bułkę i odrobinę musztardy. Kebab kosztuje tyle samo, a dostaje się kawał mięsa z masą zieleniny, cebuli, pomidorów i sosu. Niemiecka kiełbaska musi przegrać. [45]

My sobie nie zdajemy sprawy z przemian demograficznych, jakie zachodzą na świecie. Byłem we wrześniu 1999 roku w Indiach, gdy państwo to przekroczyło miliard ludności; Afryka przekroczyła miliard w tym dziesięcioleciu. Powstają potężne społeczności; nie będzie można ich nie uznawać, nie zauważać. One będą żądały swego miejsca pod słońcem. Trzeba pamiętać, że społeczność Europy się starzeje. Szansa przemysłowego i gospodarczego istnienia kontynentu leży tylko w imporcie siły roboczej – z Trzeciego Świata. [76]

Przyszły świat będzie światem wielkich zespołów gospodarczo-państwowych. Dlatego Polska może przetrwać tylko w wielkiej rodzinie wielu państw. Ten przyszły świat będzie bezlitośnie wyrzucał na margines, likwidował wszystko, co słabe. To będzie świat rosnącej konkurencji, coraz większej liczby ludzi, produktów, problemów. Jeśli Europa chce ocalić siebie w takim świecie, może to uczynić tylko, powiększając się – powiększając swój rynek, liczbę ludności, wydajność pracy.

A jak to uczynić? Odmłodzić się. Skąd jednak czerpać młode siły do tego wielkiego wyścigu? Tylko od sąsiadów. Na północy sąsiadem Europy jest morze. Na wschodzie rozszerzenie już się dokonało. Na południu zaś jest świat islamu. Europa nie ma innych źródeł naboru nowej siły. [4]

Europa traci swoją klasyczną tożsamość: w coraz mniejszym stopniu jest kontynentem białych chrześcijan, w coraz większym – regionem wielokulturowym i wieloreligijnym. We Francji, Niemczech, Holandii, Anglii islam jest już drugą religią i proces ten będzie się pogłębiał, bo do Europy emigrują głównie muzułmanie z północnej Afryki i Bliskiego Wschodu. Będziemy coraz bardziej chrześcijańsko-islamscy i dlatego trzeba szukać porozumienia z muzułmanami. [37]

Stosunek do islamu już teraz staje się coraz bardziej wewnętrznym problemem europejskości. Dla Giscarda d'Estaing, francuskiego arystokraty, to oczywiście szokujące. Pewnie czułby się dziwnie w tureckiej wiosce.

Ale muszę powiedzieć, że za takimi postawami stoją – być może – nasze nieprawdziwe wyobrażenia o takich krajach jak Turcja.

Tymczasem przeżywa ona nieprawdopodobny rozwój – budownictwa, autostrad, nowoczesnych środków komunikacji. Czuje się tam szaloną ambicję postępu. [4]

Jeśli przeciwnicy rozszerzenia Unii o kraje islamskie mówią, że będą trudności, to mają rację. Ale jeśli nie dokonamy tego kroku, to jakie mamy wyjście? Przeciwników rozszerzenia należy zawsze pytać: co proponują zamiast? Jaki macie pomysł na przetrwanie w świecie, w którym nie będzie miejsca dla słabych i niezorganizowanych? [4]

Amerykanie zarzucają zachodnim Europejczykom, że są zamknięci w sobie, w swej zamożnej twierdzy. To dzisiaj największa słabość kultury Starego Kontynentu, bo cywilizację europejską cechowała zawsze ogromna ciekawość świata. Mieliśmy nie tylko handlarzy niewolników czy poszukiwaczy złota, ale i szalonych podróżników, odkrywców, których gnała do Afryki lub Indii bezinteresowna ciekawość świata, pasja wypełniania pustych miejsc na mapach. To odróżniało nas od mieszkańców innych kontynentów, na przykład od Afrykańczyków: chociaż ich kontynent otoczony jest morzami, nigdy nie wybudowali żadnego statku, bo nie interesowało ich, co kryje się za wielką wodą. [65]

Stany od razu urodziły się nowoczesne, historia nie ciąży im tak bardzo jak nam. Amerykanie myślą o przyszłości, każdą napotkaną trudność traktują jako problem, który należy rozwiązać.

My przeciwnie: powracamy nieustannie do przeszłości; natykając się na jakieś przeszkody, mamy skłonność do popadania w depresję, łatwo wtedy przychodzi nam mówienie o egzystencjalnym bezsensie, końcu świata, upadku cywilizacji czy permanentnym kryzysie. Wciąż wahając się i spoglądając wstecz, nie możemy iść do przodu. Nie chcę naszemu spojrzeniu odmawiać głębi, chcę jedynie zauważyć, że mimo całego naszego pesymizmu świat trwa nadal, a Stany wciąż się oddalają. [82]

Europa musi znaleźć sobie nowe miejsce na mapie świata. Przechodzimy od „Europy-świata" do „Europy w świecie". To wielki zakręt, na którym znalazł się nasz kontynent. [4]

Ale to nowe, planetarne środowisko kulturalne może się okazać dla Europy inspirujące, korzystne i płodne. Bo zetknięcie kultur i cywilizacji nie musi prowadzić do zderzenia. Może ono – jak dowodzili choćby Marcel Mauss, Bronisław Malinowski czy Margaret Mead – być obszarem wymiany, pożądanego kontaktu, wzbogacenia. [33]

Otwiera to nową szansę dla Europy. Siłą kultury europejskiej była zawsze jej zdolność do przemiany, reformy, adaptacji – właściwości, które są i teraz konieczne, aby mogła ona odegrać ważną rolę w wielokulturowym świecie. To tylko kwestia jej woli, żywotności, wizji. [33]

Dokąd sięga Europa? Ten problem nigdy nie był rozstrzygnięty. Każdy ma własną definicję. Dla Charles'a de Gaulle'a była to Europa od Atlantyku do Uralu. Dla przeciętnego mieszkańca Zachodu Europa kończy się na Niemczech Zachodnich, Austrii, na granicy Unii Europejskiej. Dla mnie granica Europy to granica Europy Środkowej, ale nie mógłbym też wykluczyć Europy Wschodniej. Można przyjąć granicę między światem katolickim i prawosławiem, definicję Europy łacińskiej.

Bardzo ważnym współczesnym kryterium przynależności do Europy jest poziom ekonomiczny i kulturalny społeczeństw. Europa jest pojęciem systemu wartości – demokracji, tolerancji i pewnego poziomu ekonomicznego. Jeżeli społeczeństwa krajów „pogranicza" będą społeczeństwami o europejskiej wydajności pracy, o określonym poziomie życia ekonomicznego, demokratycznej formule i otwartej, tolerancyjnej postawie, to te społeczeństwa będą częścią Europy. Te zaś, które będą się izolować, będą społeczeństwami dyktatury, czystek etnicznych, same wyłączą się z rodziny europejskiej. Nie musimy więc określać granic geograficznych, natomiast możemy określić granice ekonomiczno-kulturowe. I to są dla mnie granice Europy. [38]

System luster. Kultury kontra globalizacja

Po wszystkich wstrząsach dwudziestego wieku – wojnach, rewolucjach, masowej migracji, narodzinach nowych państw, śmierci imperiów – świat, który pozostał, jest wielorakim, podzielonym *collage*'em. Ten *collage* ma dziwną strukturę. To struktura, która jest zaprzeczeniem samej siebie. Z jednej strony różne fragmenty leżą obok siebie i nie tworzą spójnej cechy. Z drugiej – te fragmenty istnieją przecież razem. Tworzą nową strukturę. Współistnieją. Współdziałają jako całkowicie nowa całość. [25]

Wśród piszących myślicieli Herodot był pierwszym, który zobaczył naszą kulturową planetę jako całość. Byli przed nim ludzie, którzy opisywali poszczególne plemiona czy krainy, ale widzieli je osobno. On pierwszy widział nie tylko osobno, lecz jednocześnie w całości. Widział drzewa i opisywał ich cechy odrębne, ale dostrzegał także zagajnik, a przy tym ogarniał spojrzeniem cały las. A więc rzeczą, która wyróżnia Herodota, a o której dzisiaj tak często się zapomina, jest świadomość, że niesłychanie ważny do zrozumienia czegokolwiek jest kontekst. Że rzeczy i ludzie, owszem, istnieją dla siebie i w sobie, ale zrozumieć je można tylko w ich kulturze. I że przez kontekst pojedyncze zjawiska zyskują głębię. Herodot rozumiał, że kultura objaśnia człowieka, że jest jego komentarzem.

Dlatego tak skrupulatnie zbierał obserwacje dotyczące obyczajów, wierzeń i organizacji społeczeństw. Jego książka to dzieje ludzi wtopionych w kulturę – i taki opis jest jego odkryciem. Jego sposób myślenia wpisuje się doskonale w niezwykle ciekawy przełom filozoficzny – w czas przejścia od epoki presokratejskiej do sokratejskiej. Od epoki Heraklita, Anaksagorasa i Pitagorasa, którzy zadają sobie pytania o pochodzenie świata, kosmos czy pramaterię, do epoki Sokratesa, kiedy w centrum zainteresowania staje człowiek: to, kim jest, co i dlaczego odczuwa, jakie są motywy jego postępowania. Dopiero potem pojawi się Platon. Herodot jest człowiekiem rewolucji sokratejskiej, który łączy w sobie dawną tradycję z nowymi kwestiami filozoficznymi. Skupia się równocześnie na człowieku i jego świecie. [11]

Jako historyk Herodot jest prekursorem metody uprawiania historii upowszechnionej w dwudziestym wieku przez francuską szkołę Annales, która odrzuciła zasadę pokazywania dziejów wyłącznie poprzez wydarzenia polityczne. Prawdziwa historia jest historią świata, historią kultur. [55]

Jeśli mówimy o cywilizacji i kulturze, to różnica między nimi znajduje dobre odzwierciedlenie w języku niemieckim. W tradycji niemieckiej, w odróżnieniu od angielskiej, istnieje przeciwstawienie pojęcia cywilizacji i kultury. Cywilizacja jest tym wszystkim, co materialne, zewnętrzne, a kultura tym, co duchowe, wewnętrzne. Cywilizacja była związana ze społeczeństwami w stanie ekspansji, a kultura z czymś bardziej zachowawczym, narodowym, obronnym. Napięcie między cywilizacją i kulturą występuje bardzo silnie we współczesnym świecie. Cywilizacja mediów usiłuje narzucić masowe standardy – dżinsy, coca-colę i tym podobne – czemu przeciwstawiają się kultury, które pozostają przy swoich wartościach narodowo-religijnych. [13]

Cała debata nad przyszłością świata przełomu dwudziestego i dwudziestego pierwszego wieku oparła się na tych dwóch teoriach. Stało się tak dlatego, że tylko Amerykanie dysponują potężnymi środkami transmisji idei. Chodzi o media, prestiż uniwersytetów, system stypendiów i tak dalej. Żaden myśliciel spoza Stanów, nawet gdyby opracował taką prognozę, nie ma szans przebić się z nią na równi z Amerykanami.

Twórcą pierwszej prognozy jest Fukuyama, który latem 1989 roku napisał swój głośny artykuł *Koniec historii*. Stwierdził, że właśnie skończyła się zimna wojna, czyli największy konflikt świata. A skoro istotą historii jest konflikt, tym samym skończyła się historia. Za tym szedł wniosek, że ponieważ zniknął komunizm – główny wróg liberalizmu, demokracji, wolnego rynku – to teraz cały świat stanie się światem demokracji, liberalizmu, wolnego rynku. Czyli cywilizacja całego świata upodobni się do cywilizacji amerykańskiej.

Ten mit szybko został obalony – zarówno w warstwie intelektualnej, jak w praktyce – przez rozwój wydarzeń.

Rychło jednak został mu przeciwstawiony nowy mit. Inny amerykański uczony, Samuel Huntington, obwieścił, że w miejsce wojen międzypaństwowych czy regionalnych czekają nas wielkie konflikty cywilizacyjne. Wizję tę z czasem modyfikował, ale idea pozostała niezmienna.

Dlaczego przewidywania te nazywam mitami? Bo, po pierwsze, nieprawdą jest, że cały świat będzie taki jak Ameryka. Świat jest przywiązany do swoich kultur, pozostaje mieszanką różnych patriotyzmów i tożsamości. Pomyłka Fukuyamy polegała na utożsamieniu modernizacji świata z jego westernizacją. Tymczasem państwa mogą się modernizować, ale nie musi to oznaczać westernizacji. [81]

My na wszystko patrzymy z perspektywy jednej cywilizacji – zachodniej. Jej główną wartością jest idea rozwoju. Tymczasem gdy w innych cywilizacjach były inne kryteria. W cywilizacji chińskiej bywały momenty kilkusetletniego zastoju, a oni uważali mimo to, że mają cywilizację najbardziej rozwiniętą. W cywilizacjach afrykańskich wielką wagę przywiązywano nie do pracy na rzecz rozwoju, lecz do wspólnie spędzanego czasu, do stosunków międzyludzkich, do jakości tych relacji, do zabawy w dobrym pojęciu tego słowa. To były kryteria wartości życia.

Mówiąc o innych cywilizacjach, często popełnia się błąd ich jednostronnej i kategorycznej oceny według kryterium rozwój–nierozwój, podczas gdy w wielu społecznościach znanych mi osobiście sprawa rozwoju nie była wcale najważniejsza. To wąskie kryterium, sprowadzone zwłaszcza do wskaźników ekonomicznych, jest bardzo jednostronne i zuboża naszą ludzką rodzinę. [13]

Istotna jest odpowiedź na pytanie: czy rozwój tak wielkich krajów, jak Chiny, Indie czy Rosja, musi następować tak jak w innych częściach świata? Czy ogrom tych krajów nie czyni z nich odrębnych światów, które niekoniecznie muszą wstępować w koleiny Ameryki, by z czasem przerodzić się w którąś z jej mutacji?

Na niezwykle istotny fakt – wielokulturowość świata – w roku 1912 zwrócił uwagę polski antropolog Bronisław Malinowski. Stwierdził on, że poszczególnych kultur nie można uporządkować hierarchicznie, że nie ma kultur lepszych i gorszych i że każda z nich w danych warunkach tworzy system w pełni logiczny, funkcjonalny i o zbliżonym stopniu doskonałości. Dostrzeżenie wielowątkowości rozwoju ludzkości i równowartości kultur jest – w moim przekonaniu – jednym z najistotniejszych odkryć dwudziestego wieku. Być może, jest to nawet odkrycie najważniejsze. [5]

Ciekawe u Herodota jest to, że dostrzegając źródła konfliktów, zdaje on sobie sprawę, że nie można poznać własnej kultury, nie znając innych kultur. To jest ta nie wyrażona, ale wynikająca z tekstu teoria luster: własna kultura odbija się w innych i dopiero wtedy zaczyna być rozumiana. Inne kultury są lustrami, w których się odbijamy, w których możemy dopiero prawdziwie się zobaczyć. [55]

Nowa sytuacja komunikacyjna świata sprawia, że w zasięgu człowieka współczesnego pojawiła się nie jedna, jego narodowa, kultura, ale i dziesiątki innych kultur – czasem potężnych i bogatych – i że wobec tego może on, a nawet musi, ciągle dokonywać wyboru, tym bardziej że przecież zdolności odbioru i percepcji umysłu ludzkiego mają swoje nieprzekraczalne granice.

Słowem, to zupełne otwarcie świata, które tak cieszy, ale i trochę niepokoi, wystawia każdą kulturę narodową na próbę wielkiej i nieubłaganej konfrontacji, wprowadza ją w ruch, w krążenie, nigdy bowiem jeszcze ruch dóbr i wartości kulturalnych nie był tak intensywny, tak właśnie – globalny, jak obecnie. O ile kiedyś Marshall McLuhan powiedział, że świat stanie się globalną wioską, o tyle dzisiaj możemy już powiedzieć, że w każdej wiosce znajdzie miejsce globalny świat. [28]

Rewolucja elektroniczna, która dokonała się w ostatnich latach, po pierwsze, nie obejmuje całej planety, a po drugie, zbliżenie, które spowodowała, jest dość powierzchowne. Łącząc się za pomocą nowej techniki, widzimy, że nie mamy sobie wiele do powiedzenia. Nie komunikujemy się kulturowo i to jest też wielki problem, bo jednocześnie jesteśmy skazani na życie w wielokulturowym świecie.

Pierwszy kontakt kulturowy jest kontaktem niechęci. Pierwszy odruch ludzki w zetknięciu z obcym jest zawsze wrogi. Jeżeli struktury – na przykład – polityczne utrwalą ten odruch w formie nacjonalizmu, to nabiera on cech trwałego stereotypu.

Byłem w Indiach, kiedy ludność Indii przekroczyła miliard mieszkańców. Jeździłem po kraju o wysokiej kulturze i myślałem: nikt tutaj nie słyszał o istnieniu Bacha, Mozarta ani Dantego, nikt tu nie zna naszej kultury. My też nic o ich kulturze nie wiemy. Żyjemy w świecie wielokulturowym, bardzo mało o sobie wiedząc. [62]

Jan Paweł II dokonywał nadzwyczajnych rzeczy. Niestety, w Polsce bardzo go czcimy i kochamy, ale bardzo mało słuchamy. Tymczasem on przychodzi z niesłychanie ważnym przesłaniem pokoju, którego fundamentem jest otwartość na drugiego. Być otwartym to znaczy starać się zrozumieć. I nie chodzi tu o tolerancję, bo tolerancja to bierne akceptowanie Innego, ale o aktywne wychodzenie naprzeciw. O szukanie kontaktu i porozumienia. Ten ciężko schorowany człowiek jeździł po świecie w tym właśnie celu. On doskonale rozumiał, że świat, w którym żyjemy i będziemy żyli, jest światem wielości, że wszelkie odgradzanie się, poczucie wyższości czy wyłączności, jest zgubne i trzeba się go wyrzekać.

Pod tym względem myśl Jana Pawła II stanie się w dwudziestym pierwszym wieku jednym z najważniejszych zaczynów filozoficznych. Nie mamy wielu filozofów, którzy traktowaliby chrześcijaństwo jako przesłanie wzywające do otwierania się na innych. Prawa człowieka, dekalog, szacunek dla ludzkiego życia – nie zawsze pamiętamy, że to sprawy podstawowe. [37]

Zastanówmy się, czy żyjąc w różnych kulturach, cywilizacjach, religiach, chcemy szukać w innych kulturach rzeczy najgorszych, żeby umacniać własne stereotypy, czy raczej będziemy starali się znajdować punkty styczne. Huntington mówi o zderzeniu cywilizacji, ale istnieją przecież inne teorie, mówiące o tym, że kultury i cywilizacje mogą się wzajemnie zapładniać, wzbogacać. To kwestia wyboru, jaką obierzemy drogę. Ten wybór jest zupełnie decydujący dla przyszłości naszej planety. Bo jeśli wprowadzimy do naszego myślenia język regulaminów wojskowych, gdzie mówi się o anonimowym „nieprzyjacielu", „wrogu", dojdzie do strasznej katastrofy. Przy dzisiejszym nasyceniu bronią wszelkiego typu – atomową, chemiczną, biologiczną – bardzo łatwo wysadzić świat w powietrze. [46]

Huntington posłużył się kategorią metodologiczną Toynbeego, który w swym monumentalnym dziele uznał, że pisanie światowej historii narodów i państw jest fizycznie niemożliwe i merytorycznie wadliwe. Rozwiązanie widział w opisie dziejów świata podzielonych na historie poszczególnych cywilizacji. O ile jednak takie rozwiązanie było praktyczne i pomocne dla dziejów dawnych, o tyle jest ono zawodne w historii współczesnej, której siłami motorycznymi są państwowe i narodowe nacjonalizmy, rodzące konflikty i starcia wewnątrz cywilizacji częściej niż na ich granicach. Ostatnie wielkie wojny dwudziestego wieku rozegrały się wewnątrz dwóch różnych cywilizacji: bałkańsko-chrześcijańskiej i muzułmańskiej (Irak i Iran). Powtórzmy więc, że siłą najbardziej zapalną, agresywną i niszczycielską okazuje się w naszej epoce zderzenie wszelkiego typu nacjonalizmów wewnątrz tych samych cywilizacji. [37]

Stanowimy sześć miliardów ludzi żyjących w dziesiątkach kultur, religii, języków, ludzi mających tysiące rozbieżnych interesów, celów, pragnień, potrzeb. Ta planetarna społeczność nie ma wspólnej skali wartości ani żadnego wspólnego autorytetu. Nikt nie ma nad nią władzy. A jest ona tak naładowana sprzecznymi emocjami, że używanie dzisiaj języka terroru i nienawiści to po prostu zabawa lontem przy beczce prochu. [46]

Propagowanie tezy o wojnie cywilizacji jest dziś groźne, ponieważ zaostrza atmosferę międzynarodową i burzy ład wewnętrzny wielu państw wielokulturowych, takich jak Francja, Niemcy czy Stany Zjednoczone. Gdyby cywilizacje rzeczywiście pozostawały w stanie zderzenia, to sześć miliardów ludzi brałoby teraz udział w jakiejś monstrualnej i apolitycznej wojnie, a przecież nic takiego się nie dzieje. Dziewięćdziesiąt dziewięć procent mieszkańców świata żyje w pokoju – lepiej lub gorzej, ale jednak w pokoju. [37]

Oczywiście, całkowicie potępiam przypadki gwałcenia praw człowieka przez rozmaite reżimy. Istnieje jednak głębszy problem międzycywilizacyjnego, a nie politycznego wyłącznie dialogu. Szkopuł w tym, że na poziomie polityki czy ideologii każda cywilizacja lub religia może dać impuls do łamania ludzkiej godności, lub nawet do ludobójstwa. Przecież to w Europie dokonano Holokaustu i zbrodni GUŁagu. Mało tego, u schyłku dwudziestego wieku byliśmy świadkami masowego łamania praw człowieka na Bałkanach. Zatem nie mamy mandatu, by powoływać się na wyższość naszej cywilizacji, bo żadna cywilizacja nie ma patentu na niewinność. Sam fakt identyfikacji z jakąś cywilizacją nie zwalnia automatycznie ze zgrozy zła. Zło jest w nas, zło po prostu czai się za rogiem. [65]

Problem jest następujący: co zdominuje świat, czy prymat będzie należał do polityki, czy do ekonomii? Nieszczęście, które się stało 11 września, zostało wywołane przez dyktaturę ekonomii nad polityką. Zglobalizowany świat, który szedł taką drogą, jaką szedł, prowadził do stopniowej eliminacji roli i pozycji państwa w świecie współczesnym. Państwo było i jest marginalizowane i osłabiane przez dwie siły. Odgórnie przez siły wielkich spółek finansowych, które funkcjonują ponad państwami, ignorując je i lekceważąc. Oddolnie przez ruchy już nie ekonomiczne, ale ideologiczne, ruchy nienawiści rasowej, ambicje regionalne, wszelkiego typu nacjonalizmy etniczne.

Na całym świecie państwo jest coraz słabsze. Istota i siła systemu państw narodowych, w jakim świat żył w ciągu ostatnich dwustu lat, polegała na tym, że państwo miało monopol na przymus. Armia, policja, siły porządku, kontrole graniczne, prawo – wszystko to było monopolem państwa i stanowiło o jego sile. Tymczasem cały proces globalizacji to było rozmywanie tej siły, prywatyzacja wszystkiego, przede wszystkim prywatyzacja przemocy. Świat pokrył się prywatnymi armiami, prywatnymi służbami ochroniarskimi, prywatnym handlem bronią, w ramach ogólnej neoliberalnej teorii: prywatyzujemy, co się da, a więc prywatyzujemy również przemoc. W efekcie państwo utraciło najważniejsze swoje atrybuty panowania i kontroli.

Spytajmy: dlaczego tak się stało? Dlatego że bardzo rozwinęły się środki komunikacji i łączności globalnej, ekonomika świata wymknęła się spod kontroli państw, ponieważ siła państw jest siłą terytorialną. Państwo jest organizacją terytorialną, poza swoimi granicami państwo przestaje funkcjonować, kończy się jego władza. Tymczasem powstały i rozwinęły się siły w skali planetarnej, dla których władza terytorialna nie istnieje. Można przekazać dowolną ilość pieniędzy w dowolny punkt globu w dowolnej chwili, ignorując jakiekolwiek terytorialne związki. Zaczęliśmy żyć w nowej jakości. Tą nową jakością jest uwolnienie się przestrzeni.

Przestrzeń w społeczeństwach była dotąd czymś, co było zlokalizowane. Mogliśmy wyraźnie ją określić, była stąd dotąd, mogliśmy się w niej zamknąć, budując granice, budując mur chiński, budując *limes* w okresie rzymskim, budując mur berliński. Można się było w przestrzeni zamknąć i odbierać ją jako coś własnego i bezpiecznego. Wydarzenia 11 września pokazały, że nie ma już takiej bezpiecznej przestrzeni, skończyła się. W dowolnym miejscu, w dowolnej chwili dowolne siły w dowolnym celu mogą tę przestrzeń naruszyć. Człowiek stracił poczucie bezpieczeństwa, stracił bezpieczne miejsce, w którym mógł się schować. W każdym miejscu człowieka może dotknąć jakaś siła, której nawet nie jest w stanie zidentyfikować.

Zło, które zaczęło krążyć po świecie, jest złem, które nie ma twarzy, nie ma żadnej przynależności, nie ma państwa, które je napędza. Jest to zło, które krąży wśród nas i każdego z nas może w każdej chwili dotknąć, i nie będziemy nawet wiedzieli, ani skąd ono pochodzi, ani dlaczego dotknęło właśnie nas i jaki jest jego cel.

To wszystko dzieje się, ponieważ pod koniec dwudziestego wieku nastąpił bardzo silny proces eliminowania społecznej kontroli nad władzą, nad elitami władzy. Mamy do czynienia ze zjawiskiem odwrotnego buntu, gdy chodzi o relacje elit i mas. Dawniej to masy buntowały się przeciwko władzy, zwalczały elity, organizowały rewolucje, starając się obalić, albo przynajmniej zmienić władze. Dziś mamy proces odwrotny, to elity buntują się przeciwko masom, masy są już im niepotrzebne, do niczego im nie służą. To elity są u władzy, podejmują decyzje, zaspokajają swoje interesy, porozumiewają się globalnie.

To spowodowało, że wszystkie ongiś potężne mechanizmy kontroli, nacisków, korektur przestały w ogóle funkcjonować. I ten szczebel, na którym podejmuje się decyzje, uwolnił się od jakiejkolwiek społecznej kontroli, tym bardziej że wielkie media, które kształtują poglądy nas wszystkich, które mówią nam, co mamy robić, jak się zachowywać, co myśleć, są także w rękach tych elit. Nastąpiło zjawisko zupełnego sparaliżowania społeczeństw, które nie są już zdolne do komunikowania swoich rzeczywistych dążeń i pragnień, bo zostały takich możliwości pozbawione.

Jednym słowem, powstaje wielki problem uczestnictwa społeczeństw w życiu społecznym. Ponad połowa, czy nawet trzy czwarte ludzi nie chodzi głosować, co przecież jest najbardziej podstawowym gestem obywatelskiej powinności. To gest czysto formalny, ale symbolizuje on kompletne zobojętnienie społeczeństw, wynikające z poczucia niemożności, z poczucia braku najmniejszego nawet wpływu na ośrodki, które decydują o losie nas wszystkich, o losie całego świata. [67]

Kłopot z terroryzmem polega na tym, że wielkie państwa, jak Stany Zjednoczone czy Rosja, próbują reagować na to zjawisko metodami militarnymi. Stosują rozwiązania wzięte z czasów, kiedy siłę i skuteczność państwa mierzono wielkością jego armii. Terroryzm jest jednak zjawiskiem rozproszonym, zróżnicowanym i chaotycznym – niemożliwym do zneutralizowania za pomocą militarnych kampanii. [7]

Co zrobić z terroryzmem w warunkach demokracji? Przecież w warunkach demokratycznych terroryzmu nie da się zlikwidować. Można go ograniczać, śledzić, osłabiać jego działanie, uprzedzać, natomiast nie da się go zlikwidować. Musimy pamiętać, że istnieje zasadnicza różnica pomiędzy problemem terrorystów a problemem terroryzmu. Poszczególnych terrorystów można, oczywiście, zlikwidować – i to prawdopodobnie będzie się robiło. Natomiast problemu terroryzmu nie da się rozwiązać środkami militarnymi czy policyjnymi.

Można, oczywiście, teoretycznie powiedzieć, że terroryzm da się zlikwidować w ciągu tygodnia, jeśli zaprowadzi się mechanizm niedemokratycznego przymusu i kontroli. Krótko mówiąc, wprowadzając stalinizm, można zlikwidować terroryzm w ciągu miesiąca. Ale wprowadzenie mechanizmów stalinowskich oznacza rezygnację z demokracji, a rezygnacja z demokracji oznacza koniec Zachodu.

Mamy więc problem, przed którym stoi obecnie ludzkość. Co wybrać, którą drogą pójść? Dlatego ostrożniejsi ludzie, na przykład establishment anglosaski, mówią – jak zrobił to niedawno szef sztabu armii brytyjskiej – że wojna z terroryzmem potrwa pięćdziesiąt lat. To jest wojna, która będzie trwała tyle, ile nasza wojna z komunizmem. Nie można się spodziewać ani szybkich efektów, ani spektakularnych rozstrzygnięć, bo tego się po prostu nie da zrobić. Z tym będziemy żyć, bo ceną, jaką musielibyśmy zapłacić, byłaby cena demokracji. [67]

Upraszczanie, ograniczanie pola widzenia i słyszenia do werbli wojennych pozwala myśleć, że wszystko inne na świecie nie jest problemem, że jest mniej ważne, że problem świata sprowadza się do wojny z terroryzmem. Wojna z terroryzmem to istotnie problem, ale tylko jeden z wielu. Ale ponieważ przedstawia się go jako ten najważniejszy – i niemal jedyny – inne, nie mniej istotne, schodzą na dalszy plan.

Mechanizm myślenia wielu polityków i ludzi mediów jest następujący: „Najpierw rozprawimy się z terroryzmem, a potem zajmiemy się następną sprawą". Otóż z terroryzmem nie rozprawimy się nigdy – to niemożliwe. Lecz przy okazji nie podejmiemy prób pokazania innych plag ludzkości i zaradzenia im: nędzy, nierówności, marginalizacji. Nie podejmiemy tych spraw, bo mamy coś ważniejszego na głowie. [4]

Specjaliści wymieniają zazwyczaj sześć najważniejszych zagrożeń dla świata. Po pierwsze, pogłębiające się ubóstwo na wielu obszarach świata i związaną z nim degradację środowiska naturalnego. Proszę sobie wyobrazić, że w dzisiejszym świecie prawie półtora miliarda ludzi nie ma dostępu do zdrowej wody pitnej. Po drugie, pustynnienie ziemi. Ponad miliardowi ludzi grozi, że ich kraje wkrótce przemienią się w nienadające się do życia pustynie. Pustynnienie zaczyna być zresztą kłopotem samej Europy. Jedna trzecia obszaru Hiszpanii jest już pustynią. Trzecim zagrożeniem pozostają istniejące lub potencjalne konflikty międzypaństwowe i wojny domowe, które pustoszą dziesiątki krajów, zazwyczaj Trzeciego Świata. Po czwarte, zagraża nam wzrastająca łatwość, z jaką może być rozpowszechniana broń masowej zagłady, czyli nagromadzone arsenały broni biologicznej, chemicznej, a nawet atomowej. Piątym zagrożeniem są zorganizowane w kartele przestępcze bandy przemycające narkotyki, broń, wreszcie ludzi i handlujące nimi na ogromną skalę. Terroryzm wymienia się dopiero na szóstym miejscu. [8]

Bieda we współczesnym świecie, świecie bardzo silnie rozwiniętej komunikacji, łączności i mediów, przy bardzo silnie działającym mechanizmie porównywania, wywołuje poczucie strasznej frustracji, beznadziei, rozpaczy i wściekłości. To nie jest bieda starego typu, w której biedny człowiek rodził się, żył i umierał, myśląc, że taki po prostu jest jego los. Ludzie na całym świecie oglądają w telewizji innych, słuchają, czytają o nich, widzą, w jakiej sami znaleźli się sytuacji – i to wyzwala straszny, potworny ładunek wściekłości i nienawiści do tego stanu rzeczy, a za tym do współczesnego świata. [67]

Nie jest prawdą, że istnieje bezpośredni związek między biedą a przemocą, jakieś automatyczne przełożenie, jest natomiast faktem, że upokorzenie i krzywda, poczucie niesprawiedliwości i drugorzędności tworzą atmosferę, która rozwija i umacnia agresywne, odwetowe zachowania, rodzi potrzebę rewindykacji i zemsty. Tymczasem większość mediów zignorowała związek między biedą, wynikającym z niej upokorzeniem i naturalnym dążeniem do równości. Uznanie takiego związku wymagałoby bowiem refleksji nad światem i próby jego zreformowania, a przecież chodzi o to, żeby w gruncie rzeczy nic się nie zmieniło. [37]

Sprawdziło się natomiast w praktyce zupełnie co innego, mianowicie to, że rozwój świata okazał się jednocześnie pogłębieniem nierówności. [26]

Istotą struktury świata jest niesprawiedliwość, i to niesprawiedliwość rosnąca. W latach sześćdziesiątych różnica dochodów między dwudziestoma procentami najlepiej sytuowanych ludzi na świecie i dwudziestoma procentami najuboższych była trzydziestokrotna. Pod koniec lat dziewięćdziesiątych ta różnica była już osiemdziesięciojednokrotna. Dwustu sześćdziesięciu najbogatszych ludzi świata posiada majątek równy dochodowi czterdziestu pięciu procent ludzkości naszej planety, czyli prawie trzech miliardów ludzi. W samym Seattle – siedzibie Boeinga i Microsoftu – jest sto tysięcy milionerów. Z kolei różnica między długością życia człowieka żyjącego w Trzecim Świecie i w świecie rozwiniętym wynosi dwadzieścia pięć lat.

Ta ogromna skala nierówności we współczesnym świecie wywołała zaniepokojenie – co ciekawe – nie politologów, naukowców czy ekonomistów, lecz wojskowych. Sygnał ostrzegawczy wyszedł ze sztabów generalnych, które zaniepokoiły się tym, że jeżeli sytuacja będzie się dalej rozwijać w tym kierunku, Trzeci Świat stanie się takim siedliskiem globalnej destabilizacji, że zacznie zagrażać krajom rozwiniętym, krajom wysokiej konsumpcji.

Społeczeństwa krajów rozwiniętych nie chcą jednak słyszeć o żadnej próbie głębszego rozważenia tej problematyki, ponieważ światem rządzi ideologia konsumeryzmu, która wymaga tylko jednego: spokoju, aby można było oddawać się konsumpcji. Wszelkie niepokojące sygnały są przez rządy odsuwane na dalszy plan w obawie przed utratą władzy. [34]

Strukturalna niesprawiedliwość polega na tym, że ogromny kapitał inwestycyjny skoncentrowany jest w rękach dwóch instytucji – Banku Światowego i Międzynarodowego Funduszu Walutowego. One rządzą światem. Potrzeby inwestycyjne w skali globalnej są ogromne, bo wszyscy marzą o cywilizacyjnym awansie, ale ze względu na możliwości kapitałowe perspektywy rozwoju są bardzo ograniczone. Pojawia się zatem dylemat, komu i ile dać. Zasadniczy problem polega na tym, że wszystko podporządkowane jest prawu maksymalnego zysku.

Podam przykład z zakresu działalności humanitarnej. Jedną z chorób, które najbardziej dziesiątkują ludzkość, jest malaria (zabiera rocznie ponad milion istnień). Występuje w regionach tropikalnych i półtropikalnych. Strefę tropikalną zamieszkują ludzie biedni, a zatem – podobnie jak w wypadku AIDS – by wynaleźć skuteczne leki na malarię, trzeba skorzystać z funduszów państw bogatych. Jednak firmy farmaceutyczne nie chcą inwestować w badania nad tą chorobą, ponieważ wiedzą, że gdy wynajdą właściwe lekarstwo, to i tak nie zdołają go sprzedać, bo potencjalni nabywcy są zbyt ubodzy. W rezultacie nie podejmuje się badań nad malarią. Jednocześnie jednak wydaje się olbrzymie sumy na wynalezienie setek nowych leków, którymi zainteresowane są społeczeństwa zamożne, bo to się opłaca. [65]

Brakuje instytucji, brakuje mechanizmów sprawiedliwego podziału dóbr ziemskich. ONZ nie spełnia tej funkcji. Jest dużo ofiarności indywidualnej: są Lekarze bez Granic, organizacje humanitarne i pozarządowe, ale zakres ich działań i możliwości dotyczy bardzo niewielkiego wycinka potrzeb.

Trzeba też pamiętać, że pomoc ma dwie strony: doraźnie jest skuteczna, ale jednocześnie powoduje, że ludzie odchodzą ze wsi do miast, bo tylko tam dociera międzynarodowa pomoc. Na ich obrzeżach tworzą gigantyczne obozy uchodźców, które żyją już tylko dzięki pomocy. Nigdy nie wrócą do siebie. Wsi, które opuścili, już nie ma, wszystkie systemy kanalizacji są zawalone, bydło wymarło... W dodatku są to często tereny, gdzie toczy się jakaś wojna domowa. Uchodźstwo staje się dla nich jedyną dostępną formą życia. W momencie kiedy pomoc ustanie, ci ludzie zginą. Co jest zresztą częstym przypadkiem. [62]

Nie jest tajemnicą, że wiele przedsięwzięć, z jakimi się stykamy, swój początek bierze z dylematu: Co tu wymyślić, żeby nie powiedzieć o tym, co naprawdę spędza sen z powiek milionom ludzi? Uczestniczę w takich konferencjach, jestem zapraszany na dyskusje o globalnych problemach ludzkości i widzę, jakie są rozmiary tego zjawiska. Kryzys myśli światowej polega właśnie na olbrzymim rozroście tematów zastępczych, wywołanych po to, żeby nie skonstatować zasadniczej klęski, jaką dla współczesnej ludzkości stał się obecny model rozwoju świata. [26]

Zamożna część świata – a mówiąc: świat czy epoka, myślimy tylko o sobie – ma wszystkie środki artykulacji, a tamten drugi świat jest głuchy i niemy. Nie może się wypowiedzieć, nie może zabrać głosu, nie ma jak tego uczynić, bo w swoich rękach nie ma niczego. I wobec tego ta głucha cisza tamtego świata pozwala nam w ogóle o nim nie myśleć, a żyje w nim przecież dwie trzecie ludzkości!

Dla mnie takie problemy jak hipotetyczny koniec epoki Gutenberga są jedynie fragmentem wewnętrznej rozmowy między bogatymi. To są ciągle problemy bogaczy, których na nie stać, a nie są to problemy tych dwóch trzecich ludzkości, które chciałyby dostępu do wiedzy, do nauki. [26]

Wieszczenie końca epoki Gutenberga związane jest z myśleniem, iż kultura audiowizualna całkowicie zastąpi kulturę słowa drukowanego. Otóż w historii ludzkości nie jest znane zjawisko, aby jakaś jedna forma kultury wyeliminowała drugą formę, zniweczyła ją. Koniec epoki Gutenberga ogłaszano już wiele razy, to bardzo stara historia; słyszeliśmy, że pojawienie się radia zlikwiduje druk, potem, że kino zniszczy literaturę, a telewizja – radio i tak dalej. A przecież kultura jest bardzo pojemna i mieści w sobie przeróżne formy, które wcale nie muszą jedna drugiej usuwać; na odwrót – one mogą się wzajemnie wzbogacać.

W krajach, o których myślę, w tak zwanym Trzecim Świecie, problem nie tkwi w tym, że kończy się epoka Gutenberga, której miejsce zajmie telewizja i Internet, ale w tym, że epoka Gutenberga tam jeszcze nie dotarła. Jeszcze jej w ogóle nie było. Nie ma tam książek, gazet, zeszytów i ołówków. Rośnie analfabetyzm w skali światowej, jest bowiem tak ogromny przyrost ludności, że nie nadąża się z budową szkół i rozwojem oświaty. W wielu miejscach świata epoka Gutenberga jest wyczekiwana, jest marzeniem. [26]

Jesteśmy ciągle w niewoli języka. Mówimy na przykład „człowiek", nie różnicując, o jakiego człowieka chodzi: czy o dobrze sytuowanego mieszkańca USA, czy o cierpiącego głód z południowego Sudanu. A przecież każdy co innego wie, co innego czuje i myśli. Czy nasza rozmowa o przyszłym świecie wymagać więc będzie innego słownictwa? W każdym razie wobec coraz bardziej widocznej różnorodności świata coraz częściej odczuwamy ograniczenia tradycyjnego języka.

Drugą barierę stanowi pogłębiająca się przepaść między centrum a peryferiami. Tempem rozwoju świata rządzi zasada *„the winner takes all"* – „zwycięzca bierze wszystko". A ponieważ to centrum bierze wszystko, ludzie zamieszkujący peryferie naszej planety (a takich jest zdecydowana większość) mają poczucie marginalizacji i porzucenia. [37]

Średnio zamożny Amerykanin, Kanadyjczyk i Australijczyk żyją mniej więcej na tym samym poziomie: mieszkają w domu, w garażu stoi samochód, dzieci uczą się w szkole, w pobliżu jest szpital. Ale ten opis nie przekłada się w żaden sposób na warunki życia w krajach rozwijających się. [74]

Mieszkaniec krajów rozwiniętych zużywa trzydzieści razy więcej dóbr naturalnych niż mieszkaniec Trzeciego Świata, a przecież zasoby, z których możemy korzystać, są wspólne i ograniczone. Oznacza to, że jeśli zaczniemy podnosić poziom socjalny biednych, którzy stanowią osiemdziesiąt procent ludzkości, to jednocześnie obniżymy standard życia bogatych. Mamy tu zatem sprzeczność, której nie potrafimy rozwiązać. Stoimy dziś w obliczu całego szeregu pytań, których nie mamy nawet odwagi postawić. [65]

Społeczeństwom zamożnym nie jest łatwo przyzwyczaić się do globalnego doświadczania świata, bo słowo „globalny" oznacza nie tylko „zamożny", ale także „ubogi". Warto pamiętać, że dopiero od niedawna ubóstwo rozumiane jest w światowej myśli społecznej jako dramat rodziny człowieczej. Przedtem bieda była czymś naturalnym, fizycznie oczywistym i etycznie obojętnym – jak następstwo pór roku, powodzie albo trzęsienia ziemi. Dopiero przed półwieczem ubóstwo uznane zostało za problem, za kwestię wstydliwą i bolesną, która obarcza nasze sumienia i wystawia na próbę naszą wrażliwość, domagając się działań, rozwiązań, a wreszcie całkowitej likwidacji. [37]

Światu dostatniemu nie uda się odgrodzić, odizolować. Nie da się dzisiaj powiedzieć: „Niech się tam dzieje co chce". Świat to dzisiaj naczynia połączone. Sytuacja biednych jego części prędzej czy później będzie odbijać się na obszarach dostatku. Upadek państwa w Iraku otwiera oczy na problem, choć zarazem jest tego problemu tylko małą cząstką. [78]

W dwudziestym pierwszym wieku może pogłębić się rozwarstwienie świata i jego hierarchizacja. Mówiąc obrazowo, pewne kraje będą jego głową, inne rękoma, jeszcze inne nogami. Mitu o równomiernym rozwoju wszystkich lansowanego w latach pięćdziesiątych i sześćdziesiątych nie da się przełożyć na realia. Zasoby światowe są na to zbyt szczupłe, a mechanizmy ich dystrybucji i redystrybucji nazbyt niedoskonałe. [75]

Kto zyska na globalizacji? Oczywiście, najpotężniejsi. Według propagandy wielkich mediów, globalizacja jest drogą do dobrobytu dla wszystkich – ale to nieprawda. Zyskają najpotężniejsi, i właśnie oni są jej motorem oraz czynnikiem dynamizującym. Na wolnym rynku najbardziej więc zależy najpotężniejszemu państwu świata – Stanom Zjednoczonym, a także najpotężniejszym korporacjom czy bankom.

Takich krajów jak Czad czy Gruzja dostęp do wolnego rynku nie interesuje, a tym samym jego istnienie nie ma dla nich znaczenia, gdyż i tak nie mają nic do sprzedania na nim. Natomiast korporacje produkujące na skalę globalną czy przemieszczające wielkie kapitały z jednego miejsca planety na drugie są nim zainteresowane. Potrzebują globalizacji umożliwiającej te procesy.

Istnieje teoria, że globalizacja jest inną formą kolonizacji. Uczestniczyłem w konferencji w Ayacucho, małym mieście uniwersyteckim w Peru, na temat: „Globalizacja a kultura andyjska". Podczas tej konferencji powstał dokument mówiący o tym, że globalizacja jest inną formą uzależniania kolonialnego krajów słabszych. Im większym się dysponuje potencjałem ekonomicznym, a przede wszystkim finansowym, tym większe korzyści odnosi się z globalizacji. Dlatego też wszystkie deklaracje, jakie składa siódemka najbogatszych państw świata, mówiące o tym, że dzięki globalizacji na świecie zapanuje sprawiedliwość, można traktować jako obietnice niemające pokrycia w rzeczywistości. [34]

Nie wierzę w zwycięstwo globalizacji jako całościowego procesu. Będzie on postępował na płaszczyźnie ekonomiczno-finansowej. Natomiast w dziedzinie kulturowej będą się umacniały rodzime kultury i swoista duma z tych kultur. Jeżdżąc po krajach Trzeciego Świata, obserwuję właśnie teraz ciekawe zjawisko. Następuje wyraźne osłabienie zainteresowania kulturą zachodnią, europejską. Kiedy się przyjeżdża do Sudanu na przykład, nikt już się nie pyta o to, co się dzieje w Europie. Ludzie doskonale spełniają się tam we własnej kulturze.

Zaobserwować więc można w praktyce tezę wygłoszoną jeszcze w 1912 roku przez Bronisława Malinowskiego, że każda kultura jest samowystarczalna, że spełnia wszystkie funkcje i zaspokaja potrzeby w ramach swej struktury. Społeczeństwa doskonale żyją sobie na tych odległych peryferiach świata bez potrzeby importowania jakiejkolwiek innej kultury. [76]

Większość świata to wciąż społeczeństwa niedożywione, głodne, które za siecią McDonald'sa wciąż tylko tęsknią. Tam wreszcie mogliby zjeść hamburgera czy napić się coca-coli. McDonald's zatem, potraktowany dosłownie i przenośnie, jest postrachem społeczeństw dostatku.

Moje doświadczenie mówi mi, że można żywić się w McDonaldzie i pozostać wiernym swojej kulturze. Dowodem na to może być, na przykład, świat islamu. [76]

Na całym świecie nosi się adidasy, niebieskie spodnie dżinsowe, koszulki polo. Te podstawowe części ubioru stały się tak powszechne i tanie, że nawet w krajach ubogich zniknął tradycyjny symbol nędzy – łachmany. Można jeszcze tu i tam spotkać żebraka, ale będzie on już zupełnie znośnie ubrany. Tak, bo globalizacja to także wielkie rozmnożenie taniochy i kiczu, co jednak w różnych wypadkach poprawiło poziom życia wielu ludziom. [28]

Dla mnie ruch antyglobalistów jest zwiastunem jakiegoś wielkiego niezadowolenia, jakie istnieje w tej chwili na świecie. I tylko w tym sensie jest on dla mnie ważny. Traktuję go jako sygnał zmiany tej pogodnej i radosnej atmosfery w świecie Zachodu i jako pierwszy sygnał od zakończenia zimnej wojny, że coś się w tej atmosferze psuje.

Gdy mówimy jednak o antyglobalistach, warto, byśmy przyjrzeli się samej globalizacji. Ona bowiem stwarza kontekst tego, co się wydarzyło 11 września.

Zjawisko globalizacji nie funkcjonuje na jednym poziomie, jak się często mówi, lecz na dwóch, a nawet trzech. Pierwszy z nich to ten oficjalny, czyli swobodny przepływ kapitału, dostęp do wolnych rynków, komunikacja, ponadnarodowe firmy i korporacje, masowa kultura: masowe towary, masowa konsumpcja. To jest ta globalizacja, o której dużo się mówi i pisze. Ale jest też globalizacja druga – moim zdaniem, bardzo silna, negatywna, dezintegrująca. Jest to globalizacja świata podziemnego, przestępczego, mafii, narkotyków, masowego handlu bronią, prania brudnych pieniędzy, unikania płacenia podatków, oszustw finansowych. To też się dzieje w skali globalnej. Spójrzmy tylko, jakie rozmiary ma dzisiaj nielegalny handel bronią, ludźmi, jak się prywatyzuje przemoc, jak powstają prywatne armie, które można wynająć do prowadzenia wojen w Trzecim Świecie. Istnieją one nielegalnie, a nawet legalnie.

Ta druga globalizacja również korzysta ze swobody i środków komunikacji elektronicznej. Coraz trudniej ją kontrolować ze względu na coraz większe osłabienie państwa. Kiedyś monopol na przemoc miało państwo – tylko ono mogło mieć armię, policję, służby i tak dalej. To się skończyło. Teraz wszystko zaczyna się prywatyzować i pod przykrywką oficjalnej globalizacji mamy też tę drugą – globalizację światowego podziemia.

I jest jeszcze trzecia globalizacja, która obejmuje formy życia społecznego: międzynarodowe organizacje pozarządowe, ruchy, sekty. Ona świadczy o tym, że w starych, tradycyjnych strukturach – takich jak państwo, naród, Kościół – ludzie nie znajdują już odpowiedzi na swoje potrzeby i szukają czegoś nowego. O ile więc początek dwudziestego wieku cechowało istnienie silnych państw i silnych instytucji, o tyle początek dwudziestego pierwszego wieku cechuje osłabienie państwa i wielki rozwój różnego typu małych, pozapaństwowych, pozarządowych form – i cywilnych, i religijnych. Zmieniają się kontekst i struktura, w jakich żył człowiek. Wartości zaczyna nabierać to, co po angielsku nazywa się *community*, czyli wspólnota. Ludzie organizują się według prywatnych potrzeb i zainteresowań, rozwija się patriotyzm nie w skali narodu czy państwa, ale właśnie w skali małej *community*. Co charakterystyczne, tego typu działań nie sposób kontrolować.

To niezwykle istotna okoliczność dla zrozumienia takich wydarzeń jak 11 września, bo ona ukazuje, że możemy mieć do czynienia z siłami, nad którymi nikt nie panuje i które będą trudne do opanowania w przyszłości. [46]

Żegnamy wiek dwudziesty w przekonaniu, że chwila ta niczego nie kończy, że przeciwnie, wiek nasz powołał do życia wiele sił, zjawisk i fenomenów, które być może będą się rozwijać w pełni dopiero w nadchodzącym stuleciu.

Gdybyśmy chcieli znaleźć jakiś wspólny mianownik tych wszystkich trwających wokół nas procesów, tych dokonujących się na naszych oczach transformacji i przeobrażeń, moglibyśmy powiedzieć, że w świecie współczesnym ścierają się dwa przeciwstawne nurty, a mianowicie – tendencja do integracji naszej planety oraz tendencja do jej dezintegracji.

Pojawienie się tych dwóch nurtów z taką siłą i wyrazistością właśnie w wieku dwudziestym było możliwe dzięki temu, że:

– po pierwsze, w ostatnim stuleciu nastąpił gigantyczny postęp w dziedzinie komunikacji, który po raz pierwszy w dziejach pozwolił zawiesić takie pojęcia jak przestrzeń i czas, umożliwiając zmniejszenie naszej planety do rozmiarów „globalnej wioski", co stworzyło warunki do integracji świata;

– (ale jednocześnie) po drugie, niebywały postęp techniczny i rozwój nauki ukazały narodom, że nie są same na świecie, że jest on wielokulturowy, wieloreligijny, wielorasowy. Człowiek zareagował na to odkrycie Innego, szokiem, niechęcią, nieufnością, przekonaniem, że aby ocaleć, musi się odgrodzić, odizolować, zamknąć w swojej niszy. Szok wywołany odkryciem różnorodności świata, jego zatłoczeniem i pewną niepojętością przyniósł w wielu wypadkach jego odrzucenie, dążność do zasklepiania się, do ucieczki w skansen.

W ten sposób w dwudziestym wieku zrodził się jeden z paradoksów współczesności, który zresztą będzie z pewnością określał też rzeczywistość przyszłego stulecia. Paradoks ten polega na tym, że:

– z jednej strony komunikacja, elektronika, energia kapitału, masowość produkcji, popkultura, projekty ekologiczne, panowanie pokoju światowego działają na rzecz integracji naszego globu;

– gdy jednocześnie z drugiej strony wszelkie nacjonalizmy, fundamentalizmy, integryzmy, nienawiści etniczne i szowinizmy klanowe starają się popchnąć ludność naszej planety w kierunku dezintegracji, skłócenia, wzajemnej obcości. [32]

Uważałem, że możliwe są dwie drogi – albo uznamy 11 września za symptom schorzeń świata, *ergo* trzeba przeprowadzić debatę o tym, co nawarstwiało się latami i dało o sobie znać w sposób tak okrutny; albo uznamy, że wszystko jest znakomicie i trzeba tylko użyć środków militarnych, żeby wyplenić zło.

Okazało się, że świat wybrał obie te drogi jednocześnie. Z jednej strony „partia wojny" uważa, że trzeba wypalić zło i kiedy je wypalimy, będziemy żyć w najlepszym ze światów, z drugiej strony ożywiły się dyskusje o stanie świata. Miałem okazję obserwować to dosłownie wszędzie. Zazwyczaj ludzie żyją sprawami swojego domu, ulicy, dzielnicy, wioski i nie mają głowy do wielkich spraw świata. A teraz na spotkania, dyskusje, konferencje o świecie przychodzi masa ludzi – jak nigdy do tej pory. Ludzie często mnie zapraszają na różne prelekcje i wykłady, a gdy pytam, po co mam właściwie przyjść, coraz częściej słyszę: „no, żeby nam pan coś opowiedział o świecie". To mnie bardzo cieszy. Bo opinia publiczna może, wbrew pozorom, bardzo dużo. I właśnie takie rozmowy o świecie ją kształtują. A z pokojowym nastrojem społeczeństw tworzą spokój narodów, będący siłą naszego świata. I pozwalają patrzeć w przyszłość z nadzieją. [4]

W 2004 roku odwiedziłem bibliotekę uniwersytecką w Toronto. Zwiedzałem ten wspaniały budynek i w pewnym momencie znalazłem się na galerii, skąd widać, co się dzieje w całym gmachu. Była późna wieczorna godzina, tuż przed zamknięciem. Zwróciło moją uwagę, kim są młodzi ludzie, którzy zostali tam do końca. Nie było wśród nich żadnego białego. Byli tam Azjaci, Afrykanie, młodzi ludzie pochodzący z Ameryki Łacińskiej...

I tak dzisiaj wygląda nasz świat. [7]

Nadzieja i ruch.
Świt cywilizacji Pacyfiku

Aktualnie najwięcej kapitału koncentruje się w środkowo-wschodniej Azji, w nowej, rodzącej się cywilizacji dwudziestego pierwszego wieku – cywilizacji Pacyfiku. Tam przesuwa się najbardziej dynamiczne centrum gospodarki światowej. Kapitał płynie tam nie tylko ze względów ekonomicznych, lecz także kulturowych. Na podstawie doświadczeń i porażek doktryn rozwojowych zaczynamy wierzyć, że są jakieś elementy w kulturze, które albo sprzyjają rozwojowi, albo go opóźniają.

W świetle doświadczeń ostatnich dekad minionego stulecia okazało się, że szczególnie korzystna sytuacja w dziedzinie rozwoju istnieje właśnie w kulturach azjatyckich, gdzie jest szansa połączenia trzech niezwykle ważnych elementów, to znaczy tradycyjnej kultury azjatyckiej, która była kulturą pracy, oszczędności, dyscypliny; najnowszej technologii cywilizacji informatycznej, przede wszystkim amerykańskiej; i zdobyczy europejskiej racjonalnej organizacji pracy. Na to nakłada się wiele innych elementów mogących sprzyjać rozwojowi. W tym rejonie od lat nie było wojny. Cywilizacje te nie wytworzyły silnych fobii rasistowskich. Etos konfucjański, taoizm, buddyzm sprzyjały współżyciu różnych ludów i narodowości. [13]

Wielkim okresem bardzo twórczym dla ludzkości był piąty wiek przed narodzeniem Chrystusa. Platon, Arystoteles, a jednocześnie wielki wiek rozkwitu cywilizacji egipskiej, chińskiej, hinduskiej. Jest taki moment w dziejach ludzkości, gdy świat rozkwita – następuje wspaniały wybuch umysłu ludzkiego. Wiek dwudziesty pierwszy też taki może być. Cywilizacje Pacyfiku są bardzo dobrze do tego przygotowane. [12]

Ze względu na bariery komunikacyjne nigdy wcześniej nie śniło się nikomu, by skupić kultury basenu Pacyfiku. Dziś, dzięki rewolucji elektronicznej i technologicznej, cywilizacja ta będzie się wreszcie mogła zorganizować. Ma ona ogromny potencjał, bo skupia podstawowe ośrodki rozwoju myśli technologicznej: Kalifornię, kanadyjską Kolumbię Brytyjską, zachodnie wybrzeże Ameryki Łacińskiej, wyspy Pacyfiku, Australię, Nową Zelandię, Tasmanię, Indonezję, Chiny, Japonię i wreszcie wschodnie krańce Rosji. [65]

Chiny są największym demograficznie państwem świata i stale rosną. Cywilizacja chińska, podobnie jak islam, okazała się odporna na wpływy cywilizacji amerykańskiej. Ponadto Chiny są bardzo ambitne i mając ogromne wpływy w całej Azji, pragną odgrywać w tej rodzącej się na naszych oczach cywilizacji Pacyfiku rolę hegemona. Bo gdyby spojrzeć w kalendarium świata, można zobaczyć, w jakim kierunku przesuwa się motor cywilizacji. Zaczęło się od Sumerów i Mezopotamii, potem było Morze Śródziemne, później Atlantyk, a teraz rejon Pacyfiku. Uwzględniając obie Ameryki, Australię, Rosję, Chiny, Indonezję..., stanowi on niezwykły konglomerat kultur, religii, ras. [79]

Związane bardziej z Trzecim Światem i Azją niż z Europą, jeśli chodzi o kulturalne i rasowe korzenie, Los Angeles i południowa Kalifornia wkroczą w dwudziesty pierwszy wiek jako wielorasowe i wielokulturowe społeczeństwo. Jest to całkowicie nowy fenomen. Nie ma wcześniejszego przykładu cywilizacji, która jest jednocześnie tworzona przez tyle ras, narodowości i kultur. Ten nowy rodzaj kulturowego pluralizmu jest zjawiskiem nieznanym w historii ludzkości.

Ameryka staje się z każdym dniem coraz bardziej wieloraka dzięki niewiarygodnej umiejętności nowych imigrantów z Trzeciego Świata, którzy wnoszą część swojej oryginalnej kultury do kultury amerykańskiej. Pojęcie dominującej kultury amerykańskiej zmienia się z każdą chwilą. Przyjeżdżając do różnych miejsc w Ameryce, ma się niezwykłe wrażenie, że jest się gdzie indziej – w Seulu, w Tajpej, w Mexico City. Można podróżować po koreańskiej kulturze na ulicach Los Angeles. Mieszkańcy tego wielkiego miasta stają się krajowymi turystami w miejscu swojego zamieszkania.

Znajdują się tu duże społeczności Laotańczyków, Wietnamczyków, Kambodżan, Meksykanów, Salwadorczyków, Gwatemalczyków, Irańczyków, Japończyków, Koreańczyków, Ormian, Chińczyków. Znajdujemy tu Małe

Tajpej, Mały Sajgon, Małe Tokio, Koreatown, Małą Centralną Amerykę, irańską dzielnicę w Westwood, społeczność ormiańską w Hollywood i duże dzielnice meksykańsko-amerykańskie we wschodnim Los Angeles. Osiemdziesiąt jeden języków, wśród których niewiele jest europejskich, rozbrzmiewa w szkołach podstawowych w Los Angeles. [25]

Dzisiejsi imigranci fizycznie znajdują się w jednym miejscu, ale kulturowo inspirowani są skądinąd. Mogą oglądać meksykańskie łzawe seriale w telewizji albo regularnie latać tam i z powrotem do Meksyku dzięki tanim nocnym lotom z międzynarodowego lotniska w Los Angeles. Mogą czytać wiadomości z Korei w tym samym czasie, kiedy czyta się je w Seulu, i mogą skorzystać z codziennych lotów jumbo jeta do Korei. Swoboda utrzymywania tego rodzaju kontaktu jest kulturowo i psychologicznie bardzo zdrowa. Nie czują się tak całkowicie odcięci od swojej przeszłości w chwili wyjazdu z domu.

Obecni imigranci są znacznie bardziej wykształceni niż w dawnych czasach. Nowym imigrantem jest zazwyczaj człowiek o szerokich horyzontach, z bardziej elastycznym podejściem. Kulturowo rzecz biorąc, jest to osoba znacznie silniejsza w rozwiązywaniu problemów wynikających ze zmiany krajów.

Dziewięćdziesiąt procent polskich imigrantów do Ameryki na przełomie wieku dziewiętnastego i dwudziestego było niepiśmiennych. Nowa fala polskiej imigracji do USA po stanie wojennym zawiera również najbardziej wykształconych ludzi. W dziewiętnastym wieku polski imigrant w Ameryce odczuwał przerażenie. Obecnie imigrant łatwiej przystosowuje się do nowego środowiska. Coraz częściej jest on w stanie z dnia na dzień uczestniczyć w nowym społeczeństwie. [25]

Emigracja jest połączeniem nadziei i ruchu. Nadzieja spełnia się dzięki ruchowi. Ludzie będą szukali poprawy swoich warunków bytowych poprzez ruch, przemieszczając się z miejsc, które uważają za gorsze, do tych uznawanych za lepsze. Jest to nieodwracalne i leży u podłoża ludzkiego myślenia. [15]

Migracja istniała zawsze na naszej planecie, ale skala tych ruchów jest w tej chwili ogromna, niespotykana dotąd w historii. Te procesy powodują powstawanie coraz większej społeczności, która utraciła więzi ze swoją macierzystą kulturą, ze swoimi korzeniami i zaczyna stanowić jak gdyby nową społeczność planetarną. Procesy migracyjne zaczynają zmieniać oblicze państw, przede wszystkim najważniejszego z nich – Stanów Zjednoczonych – które są motorem globalizacji.

Stany Zjednoczone stają się coraz bardziej państwem wielorasowym, wieloreligijnym, wielokulturowym. Coraz bardziej przekształcają się z państwa będącego przedłużeniem cywilizacji europejskiej w element cywilizacji Trzeciego Świata. Istnieją nawet książki, których tematem jest to, jak powstrzymać proces przesuwania się Stanów Zjednoczonych ku Trzeciemu Światu, oczywiście nie w sensie ekonomicznym, lecz kulturowym. Na początku dwudziestego wieku niemal dziewięćdziesiąt pięć procent migrantów do Stanów Zjednoczonych pochodziło z Europy, pod koniec dwudziestego wieku natomiast zdecydowanie przeważają imigranci z Trzeciego Świata. Ta ewolucja społeczeństwa amerykańskiego będzie miała duży wpływ na dalsze losy całej planety. [34]

Wielokulturowość, czyli akceptacja różnic, to termin wymyślony przez Kanadyjczyków, którzy w ten sposób uporali się z problemem własnej tożsamości. W Kanadzie są wioski estońskie, łotewskie, ukraińskie, niemieckie – każdy jest akceptowany i każdy może żyć w obrębie własnej społeczności. W Stanach Zjednoczonych z jednej strony także stykamy się ze zjawiskiem wielokulturowości, z drugiej jednak – przybysz szybko traci tam bezpośrednie więzi z krajem swego pochodzenia i zaczyna czuć się po prostu obywatelem amerykańskim. [37]

To społeczeństwo rozwiązało problem, którego nie rozwiązało do tej pory żadne inne – współistnienia wielu ras, kultur i religii. Stany Zjednoczone są spełnieniem tego, o czym pisał na początku dwudziestego wieku meksykański filozof José Vasconcelos, autor dzieła *Rasa kosmiczna*. Marzył on, że kiedyś powstanie jedna rasa i skończą się wreszcie konflikty na tym tle. I właśnie w USA coraz większa grupa ludzi ma problemy z określeniem, do jakiej rasy należy. To wymieszanie jest niesłychanie istotne dla przyszłości wielokulturowego świata – i po raz pierwszy zaczyna się spełniać właśnie w Ameryce. [4]

Wpływy Trzeciego Świata – dynamiczna dezorganizacja, niedbałe zachowanie, wolniejsze tempo życia, inny stosunek do czasu i rodziny – zmieniają, niegdyś dominujące, północnoamerykańskie sposoby organizowania społeczeństwa.

Podejście do nowej, wielokulturowej rzeczywistości z perspektywy zachodnich wartości kulturowych, łącznie z grecką filozofią, jest błędne. Każda kultura ma coś, co wnosi do nowej, pluralistycznej, tworzącej się kultury. Koreańska społeczność w Los Angeles nie zawdzięcza nic kulturze greckiej.

Problemem nie jest tu relatywizm wartości. Nie możemy powiedzieć, że wartości zginęły. Jesteśmy w okresie przejściowym, w którym pojęcie wartości jest szersze. Odchodzimy od czasu, w którym przyjmowaliśmy jeden tylko system wartości jako słuszny sposób na życie. Wkraczamy w okres, w którym będziemy musieli przyjąć wartości, jakie przynoszą inne kultury, nie „gorsze" od naszych wartości, ale inne. To przejście jest bardzo trudne, ponieważ nasz umysł jest z natury etnocentryczny. Umysł człowieka przyszłości będzie jednak policentryczny. [25]

Mam wrażenie, że to, co się dzieje w Ameryce, dotyczy czegoś znacznie więcej niż losu jednego narodu.

Możliwe, że skoncentrowany na Europie naród amerykański jest już u schyłku, jako że ustępuje nowej cywilizacji – cywilizacji Pacyfiku, tworzonej obecnie, ale nie wyłącznie, przez Amerykę. Historycznie rzecz biorąc, Ameryka nie tyle podupadnie, ile połączy się prawdopodobnie z kulturą Pacyfiku, aby wspólnie stworzyć rodzaj wielkiego *collage*'u Pacyfiku, mieszaniny latynoskich i azjatyckich kultur, połączonych ze sobą najnowocześniejszymi technologiami łączności.

Tradycyjna historia była historią narodów. Ale tutaj, po raz pierwszy od czasów Imperium Rzymskiego, istnieje możliwość stworzenia historii cywilizacji. Po raz pierwszy istnieje szansa, aby na nowych podstawach, z nowymi technologiami stworzyć cywilizację o nieznanej dotychczas otwartości i pluralizmie. Cywilizację z policentrycznym umysłem. Cywilizację, która odrzuci już na zawsze etnocentryczną mentalność plemienną. [25]

Owa tworząca się cywilizacja wybrzeża Pacyfiku jest nowym stosunkiem między światem rozwiniętym a nierozwiniętym. Tutaj jest otwartość. Jest nadzieja. I przyszłość. Jest tu wielonarodowy tłum. W miejsce klimatu walki panuje tu duch współpracy, pokojowego współzawodnictwa, budowania. Po raz pierwszy w ciągu czterystu lat kontaktów między kolorowym a białym światem zachodnim ich stosunki charakteryzują się na ogół współpracą i konstruktywnością, a nie wyzyskiem, nie destrukcją.

Jak żadne inne miejsce na ziemi, Los Angeles demonstruje nam możliwości rozwoju w sytuacji, kiedy mentalność Trzeciego Świata miesza się z otwartym poczuciem możliwości, kulturą organizacyjną i zachodnim pojęciem czasu.

Dla destrukcyjnego, sparaliżowanego świata, w jakim spędziłem większość swojego życia, ważne jest, że taka możliwość jak Los Angeles po prostu istnieje. [25]

Wnioski? Na szczęście ich nie ma, bo wszyscy jesteśmy uczestnikami procesu historycznego, który trwa, który się toczy, a jest tak skomplikowany, składa się nań tyle elementów, że to, jak się one ułożą, jak będą na siebie oddziaływać w przyszłości, jest nieprzewidywalne dla nikogo. Klęska futurologii dowiodła, że nasza wyobraźnia nie nadąża za historycznym przyspieszeniem i głęboką transformacją, jakiej jesteśmy i świadkami, i uczestnikami. [38]

Wszystko, o czym piszę, właśnie się dzieje, jest w trakcie stawania się, i na dobrą sprawę nikt nie powie na sto procent, jaki będzie finał. Myślę jednak, że tylko takie tematy są ważne. [10]

Nie wyobrażam sobie, żeby ktoś mógł napisać książkę próbującą uchwycić współczesny świat w jakiejś zamkniętej formule. [68]

Bibliografia

1. *A ja żyję...*, z Ryszardem Kapuścińskim rozmawia Jacek Antczak, „Kurier Poranny", 2 IV 1999 (przedruk za: *Europa jest na szczęście mała*, „Słowo Polskie" 1999, nr 12).
2. *Cała możliwa prawda*, z Ryszardem Kapuścińskim rozmawia Krzysztof Wykrętowicz, „Rzeczpospolita" 1993, dodatek „Plus Minus", nr 15.
3. *Cały ten futbol*, z Ryszardem Kapuścińskim rozmawiają Michał Pol i Dariusz Wołowski, „Gazeta Wyborcza" 1998, nr 131, dodatek „Magazyn", nr 23.
4. *Ciszej z tymi werblami*, z Ryszardem Kapuścińskim rozmawia Artur Domosławski, „Gazeta Wyborcza" 2002, nr 299.
5. *Cywilizowanie Imperium*, z Ryszardem Kapuścińskim rozmawia Roman Warszewski, „Wprost" 1993, nr 13.
6. *Czarny ląd i czarne karty*, z Ryszardem Kapuścińskim rozmawia Wojciech Jagielski, „Gazeta Wyborcza" 2003, nr 196.
7. *Czego o świecie nie wiemy*, z Ryszardem Kapuścińskim rozmawiają Katarzyna Janowska i Piotr Mucharski, „Tygodnik Powszechny" 2005, nr 13, dodatek „Ucho Igielne".
8. *Detronizacja Europy*, z Ryszardem Kapuścińskim rozmawia Wojciech Jagielski, „Gazeta Wyborcza" 2005, nr 182.
9. *Do końca życia będę reporterem*, z Ryszardem Kapuścińskim rozmawia Wojciech Pomianowski, „Rzeczpospolita" 1994, nr 65.

10. *Do Rosji nie ma klucza*, z Ryszardem Kapuścińskim rozmawia Sławomir Popowski, „Gazeta Wyborcza" 1990, nr 221.
11. *Drzewa, zagajnik i las*, z Ryszardem Kapuścińskim rozmawia Jarosław Mikołajewski, „Gazeta Wyborcza" 2004, nr 231.
12. *Dwa nurty rzeki*, z Ryszardem Kapuścińskim rozmawia Anna Plezner, „Głos Wielkopolski" 1996, nr 100.
13. *Dylematy rozwoju*, z Ryszardem Kapuścińskim rozmawia Jerzy Gaul, „Przegląd Powszechny" 1996, nr 6.
14. *El Classico Latino*, z Ryszardem Kapuścińskim rozmawia Jacek Żakowski, „Viva" 2003, nr 6.
15. *Entrevista con Ryszard Kapuscinsky*, rozmawia Ricardo Cayuela Gally, „Letras Libres", VII 2002; fragmenty w tłum. Marcina Sarny i Macieja Sekerdeja.
16. *Epokę imperiów mamy za sobą*, z Ryszardem Kapuścińskim rozmawia Peter Gzowski, oprac. Jerzy Jastrzębowski, „Rzeczpospolita" 1996, nr 300.
17. *Europa przed readaptacją*, z Ryszardem Kapuścińskim rozmawia Aleksander Woźny, „Zbliżenia. Polska – Niemcy" 2002, z. 1.
18. *Gdzie się podziać w tej przestrzeni?*, „Nowy Dziennik" (New York), 28/29 XII 1991.
19. *Gwałtowna powódź w zachodniej Europie*, rozmowa z Ryszardem Kapuścińskim, „Der Spiegel" 1990, nr 50.
20. *Hay que alertar a la gente antes de que sea tarde*, z Ryszardem Kapuścińskim rozmawia Telma Luzzani, „Clarin", 6 X 2002; fragmenty w tłum. Macieja Sekerdeja.
21. *Imperia upadają i chwała im za to*, z Ryszardem Kapuścińskim rozmawia Janusz Niczyporowicz, „Gazeta Współczesna", 14–16 V 1993.
22. *Ismaeli continua a navigare*, z Ryszardem Kapuścińskim rozmawia Maria Nadotti, [w:] Ryszard Kapuściński, *Il cinico non è adatto a questo mestiere. Conversazioni sul buon giornalismo*, red. Maria Nadotti, Roma 2002; fragmenty w tłum. Jarosława Mikołajewskiego.

23. *Jądro ciemności*, z Ryszardem Kapuścińskim rozmawiają Wojciech Jagielski i Weronika Kostyrko, „Gazeta Wyborcza" 1996, nr 267.
24. *Kapuściński o ZSRR*, z Ryszardem Kapuścińskim rozmawia Marcin Czerwiński, „Nowe Książki" 1991, nr 1.
25. Kapuściński Ryszard, *Amerykański collage*, „Ameryka" 1989, nr 231 (tekst na podstawie rozmowy z Nathanem Gardelsem, „New Perspectives Quaterly" 1988, nr 2).
26. Kapuściński Ryszard, *Dwa różne światy*, notował K.M., „Rzeczpospolita" 2000, nr 150.
27. Kapuściński Ryszard, *Dziennikarze i katastrofy*, „Gazeta Wyborcza" 2005, nr 104 (wykład wygłoszony podczas pierwszego międzynarodowego festiwalu literatury „Głosy z całego świata", Nowy Jork, 16–22 IV 2005).
28. Kapuściński Ryszard, *Globalny świat w każdej wiosce*, „Rzeczpospolita" 2000, nr 287, dodatek „Plus Minus" (wykład wygłoszony na Kongresie Kultury Polskiej, Warszawa, 2000).
29. Kapuściński Ryszard, *Kult złej pamięci*, „Gazeta Wyborcza" 2001, nr 121 (rec.: Paweł Smoleński, *Pochówek dla rezuna*, Wołowiec 2001).
30. Kapuściński Ryszard, *Od tłumacza*, [w:] Che Guevara, *Dziennik z Boliwii*, Warszawa 1969.
31. Kapuściński Ryszard, *One World, Two Civilizations*, „New Perspectives Quaterly" 1986, nr 1.
32. Kapuściński Ryszard, *Planeta Ziemia*, „Gazeta Wyborcza" 1999, nr 147 (wykład wygłoszony na Światowym Kongresie Pen Clubu, Warszawa, 1999).
33. Kapuściński Ryszard, *Powinności obywatela świata wielokulturowego* (wykład wygłoszony w Centrum Kultury Żydowskiej, Kraków, 24 X 2001); przedruk w: *Bieda i nierówność: fundamentalizm i przemoc*, oprac. Ella Mayer, tekst nieautoryzowany, „Przekrój" 2001, nr 45.
34. Kapuściński Ryszard, *Rewolucja planetarna*, „Więź" 2001, nr 10 (wykład wygłoszony w KIK-u, 2000).

35. Kapuściński Ryszard, *Siła słowa*, „Gazeta Wyborcza" 2005, nr 96 (wykład wygłoszony podczas pierwszego międzynarodowego festiwalu literatury „Głosy z całego świata", Nowy Jork, 16–22 IV 2005).
36. Kapuściński Ryszard, *Skąd pochodzimy? Kim jesteśmy*, „Odra" 2002, nr 1 (wykład wygłoszony z okazji otrzymania tytułu doktora *honoris causa* Uniwersytetu Wrocławskiego, 15 XI 2001).
37. Kapuściński Ryszard, *Wojna czy dialog?*, „Znak" 2002, nr 10.
38. *Konflikty na skalę ułamka procenta*, z Ryszardem Kapuścińskim rozmawiają Wojciech Pomianowski („Rzeczpospolita") i Christoph von Marshall („Der Tagesspiegel"), „Rzeczpospolita", 24 XII 1994.
39. *Koniec wieku*, z Ryszardem Kapuścińskim rozmawiają Witold Bereś i Krzysztof Burnetko, „Tygodnik Powszechny" 1994, nr 36.
40. *Laboratorium polityczne*, z Ryszardem Kapuścińskim rozmawia Ryszard Malik, „Rzeczpospolita" 1997, nr 93.
41. *Martwa Europa*, z Ryszardem Kapuścińskim i Hansem Magnusem Enzensbergerem rozmawia Adam Krzemiński, „Polityka", 14 V 1997.
42. *Minaret świata*, z Ryszardem Kapuścińskim rozmawiają Wojciech Bonowicz i Łukasz Tischner, „Znak" 1998, nr 1.
43. *Msza za zwycięstwo*, z Ryszardem Kapuścińskim rozmawia Bartosz Marzec, „Rzeczpospolita" 2006, nr 131.
44. *Najstarszy rządzi*, z Ryszardem Kapuścińskim rozmawia Magda Piórek, „Gazeta w Bydgoszczy" 1999, nr 120.
45. *Największa budowa nowożytnej Europy*, z Ryszardem Kapuścińskim rozmawia Krzysztof Burnetko, „Tygodnik Powszechny" 1996, nr 29.
46. *Nasz kruchy świat*, z Ryszardem Kapuścińskim rozmawiają Artur Domosławski i Aleksander Kaczorowski, „Gazeta Wyborcza" 2001, nr 228.

47. *Nie ma jednej Afryki*, z Ryszardem Kapuścińskim rozmawiają Bogdan Borucki, Jarosław Krawczyk i Bogusław Kubisz, „Mówią wieki" 2004, nr 11.
48. *O pamięci i jej zagrożeniach*, z Ryszardem Kapuścińskim rozmawiają Zbigniew Benedyktowicz i Dariusz Czaja, „Konteksty" 2003, nr 3/4.
49. *Obronić imperium*, z Ryszardem Kapuścińskim rozmawia Sławomir Popowski, „Gazeta Wyborcza" 1991, nr 70.
50. *Pędzący pociąg imperium*, z Ryszardem Kapuścińskim rozmawia Bartosz Węglarczyk, „Gazeta Wyborcza" 1996, nr 115.
51. *Pisze pan od czterdziestu lat...*, z Ryszardem Kapuścińskim rozmawia Anders Bodegård, tłum. Dorota Ines Nowak, „Brick" 1995, nr 51.
52. *Podróże, lektury, refleksja*, z Ryszardem Kapuścińskim rozmawia Zbigniew Basara, „Nowy Dziennik" (New York), 11–12 II 1995.
53. *Podróżnik po lesie rzeczy*, z Ryszardem Kapuścińskim rozmawia Bill Bufford, „Most" 1987, nr 16/17 (tekst z „Granta – The Story Teller" 1987, nr 21).
54. *Pościg za historią*, z Ryszardem Kapuścińskim rozmawia Wojciech Górecki, „Życie Warszawy" 1993, nr 86.
55. *Powrót Herodota*, z Ryszardem Kapuścińskim rozmawia Edwin Bendyk, „Przegląd Polityczny" 2003, nr 62/63.
56. *Pół wieku jeżdżę po świecie*, z Ryszardem Kapuścińskim rozmawia Igor Borkowski, „Uniwersytet Wrocławski" 2001, nr 6.
57. *Raccontare un continente: la storia nel suo farsi*, z Ryszardem Kapuścińskim rozmawia Andrea Semplici, [w:] Ryszard Kapuściński, *Il cinico non è adatto a questo mestiere. Conversazioni sul buon giornalismo*, red. Maria Nadotti, Roma 2002; fragmenty w tłum. Jarosława Mikołajewskiego.
58. *Rewolucja negocjowana*, z Ryszardem Kapuścińskim rozmawia Wojciech Jagielski, „Gazeta Wyborcza" 1993, nr 219.

59. *Rodzi się we krwi*, z Ryszardem Kapuścińskim rozmawia Weronika Kostyrko, „Gazeta Wyborcza" 1994, nr 104.
60. *Rosja – fascynacja XX wieku*, z Ryszardem Kapuścińskim rozmawia Czesław A. Czapliński, „Kariera" 1990, nr 8.
61. *Różne wymiary szczęścia*, z Ryszardem Kapuścińskim rozmawia Danuta Piekarska, „Gazeta Lubuska", 23–27 XII 1998.
62. *Sąd nad XX wiekiem*, „Tygodnik Powszechny" 2000, nr 23.
63. *Stan rezygnacji*, z Ryszardem Kapuścińskim rozmawia Arcadi Espada, „Forum" 2000, nr 37 (tekst z „El Pais", 14 VIII 2000).
64. *Szukanie miejsca w nowym świecie*, rozmawiają: Ryszard Kapuściński, Elżbieta Matynia, Jonathan Schell i Walter Russel Mead, not. Sylwester Walczak, „Rzeczpospolita" 1997, nr 47, dodatek „Plus Minus" (spotkanie w New School for Social Research, Nowy Jork, 28 X 1997, wypowiedzi nieautoryzowane).
65. *Świat jest wielką sprzecznością*, z Ryszardem Kapuścińskim rozmawiają Jarosław Gowin i Łukasz Tischner, „Znak" 2002, nr 1.
66. *Świat po drugiej stronie*, z Ryszardem Kapuścińskim rozmawia Agnieszka Wróblewska, „Życie Warszawy", 29 XII 1990–1 I 1991.
67. *Świat po 11 września. Ryszard Kapuściński w Salonie Profesora Dudka*, „Odra" 2002, nr 1.
68. *Świat w kawałkach*, z Ryszardem Kapuścińskim rozmawia Michał Cichy, „Gazeta Wyborcza" 1997, nr 110.
69. *Trzeba być w środku wydarzeń*, z Ryszardem Kapuścińskim rozmawia Krzysztof Łęcki, „Śląsk" 1997, nr 12.
70. *Un tour du monde en cinquante ans*, z Ryszardem Kapuścińskim rozmawia Krzysztof Pomian, „Le Débat" 2002, nr 120; fragmenty w tłum. Joanny Schoen.
71. *Una mala persona nunca puede ser buen periodista*, z Ryszardem Kapuścińskim rozmawia Pablo Espinosa, „La Jornada", 25 IX 2002; fragmenty w tłum. Macieja Sekerdeja.

72. *W brzuchu potwora*, oprac. Włodzimierz Kalicki, „Gazeta Wyborcza" 1993, nr 19.
73. *W labiryncie kultur*, z Ryszardem Kapuścińskim rozmawiają Dominik Ciołek SJ i Wacław Oszajca SJ, „Przegląd Powszechny" 2004, nr 12.
74. *Walka o rząd dusz*, z Ryszardem Kapuścińskim rozmawia Krystyna Strączek, „Znak" 2004, nr 10.
75. *Wiek dwudziesty – wiek miniony*, z Ryszardem Kapuścińskim rozmawia Roman Warszewski, „Przegląd Powszechny" 1993, nr 4.
76. *Wielość kultur jest przyszłością świata*, z Ryszardem Kapuścińskim rozmawia Czesław Karkowski, „Przegląd Polski", 2 VI 2000.
77. *Wiosna ludów latynoskich*, z Ryszardem Kapuścińskim rozmawia Artur Domosławski, „Gazeta Wyborcza" 2001, nr 83.
78. *Wojna i pustka*, z Ryszardem Kapuścińskim rozmawia Artur Domosławski, „Gazeta Wyborcza" 2003, nr 185.
79. *Wojny nikt nigdy nie wygra*, z Ryszardem Kapuścińskim rozmawia Zbigniew Dominiak, „Tygiel Kultury" 1997, nr 10/12.
80. *Wschodni dywan*, z Ryszardem Kapuścińskim rozmawia Rafał Marszałek, „6x9" 1991, nr 1.
81. *Wyjście z opłotków*, z Ryszardem Kapuścińskim rozmawia Krzysztof Burnetko, „Tygodnik Powszechny" 1999, nr 25, dodatek „Apokryf", nr 11.
82. Z Ryszardem Kapuścińskim rozmawia Michał Łuczewski, 2001 (wywiad niepublikowany).
83. *Żegnaj stara Afryko*, dyskusja z udziałem Ryszarda Kapuścińskiego, Wojciecha Jagielskiego, Victora Zazeraja i Eugeniusza Rzewuskiego, wysłuchał i opracował Marcin Meller, „Polityka" 1997, nr 21.

Spis treści

Krystyna Strączek, Wstęp 5

Historia, pamięć, zapis. 9
Dekolonizacja i narodziny Trzeciego Świata 27
Smutna, nieprzenikniona, dynamiczna. Afryka 41
Laboratorium nowego wieku. Ameryka Łacińska. 79
Żyć w ummie. Islam 106
Imperializm, mistyka i bieda. Rosja 123
Od „Europy świata" do „Europy w świecie". 148
System luster. Kultury kontra globalizacja 166
Nadzieja i ruch. Świt cywilizacji Pacyfiku 194

Bibliografia 203

Społeczny Instytut Wydawniczy Znak,
ul. Kościuszki 37, 30-105 Kraków. Wydanie I, 2007.
Druk i oprawa: Rzeszowskie Zakłady Graficzne SA, Miłocin 181 k. Rzeszowa

Herodot szuka świadków, szuka dokumentów, znaków, śladów.

Ja sam jestem z Polesia, z Pińska.

Granica małej ojczyzny przebiega tam, gdzie znajdują się najdalej położone groby naszych przodków i bliskich.

Pierwsza faza dekolonizacji nadeszła w połowie dwudziestego wieku.

Teraz do białych w Afryce nie zwraca się już z taką uniżonością jak niegdyś. Europejczyk jest w Afryce gościem i tak się czuje. Gospodarzami są Afrykanie i tak się zachowują.

PINEAPPLES
PRODUCE of KENYA
808

Afryk jest wiele, przynajmniej cztery: Afryka Północna – ogromna wstęga, która rozpościera się od wybrzeży śródziemnomorskich do Sahary, Afryka Zachodnia, Afryka Wschodnia i wreszcie Afryka Południowa.

W sercu Afryki panowało ogromnie napięcie, toczyła się potworna gra: Amerykanie, Rosjanie, Chińczycy i Belgowie snuli brutalne projekty i właśnie tam, w samym środku Afryki, toczyli ze sobą bezkompromisową walkę.

Uczestniczyłem w całym cyklu narodzin niepodległej Afryki, od pierwszego do ostatniego kraju.

Dopiero w czasach zimnej wojny Wschód i Zachód uzbroiły Afrykę w broń maszynową.

Afryka jest bardzo biedna i długo będzie biedna.

Woda musi być dostępna dla wszystkich. Albo piją wszyscy, albo nikt.

Lata sześćdziesiąte w Ameryce Łacińskiej to czasy wojskowych dyktatur.

W Chile w normalnych wyborach wygrał niewielką liczbą głosów Allende.

Ameryka indiańska budzi się ze snu.

Muzułmanie traktują całą egzystencję człowieka na sposób głęboko religijny.

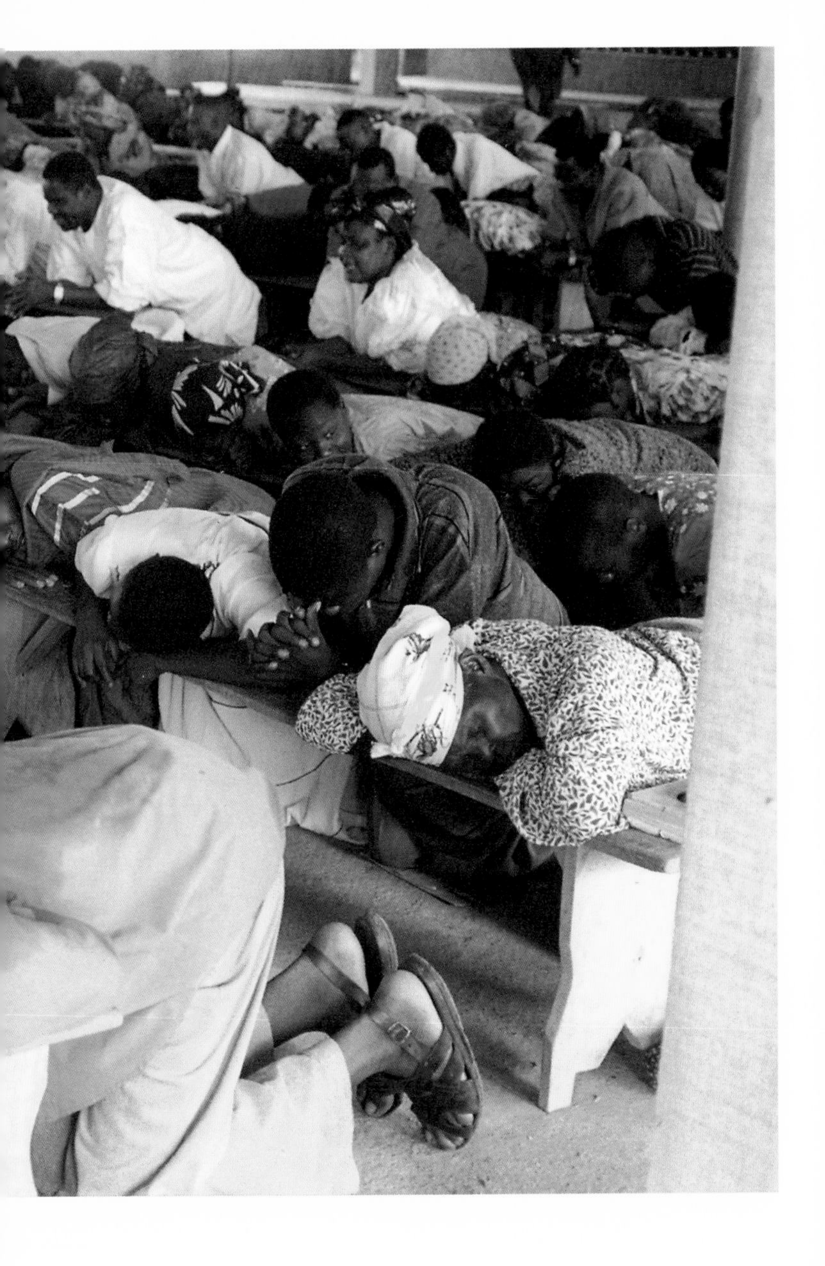

Islam jest religią bardzo prostą. By być muzułmaninem, trzeba wyznać, że się nim jest, i praktykować pięć filarów wiary, do czego nie potrzeba intelektualnego przygotowania.

Postawa Rosjanina jest postawą skrajną. Albo wielbi, albo nienawidzi.

Rosyjski tłum będzie tłumem milczącym.

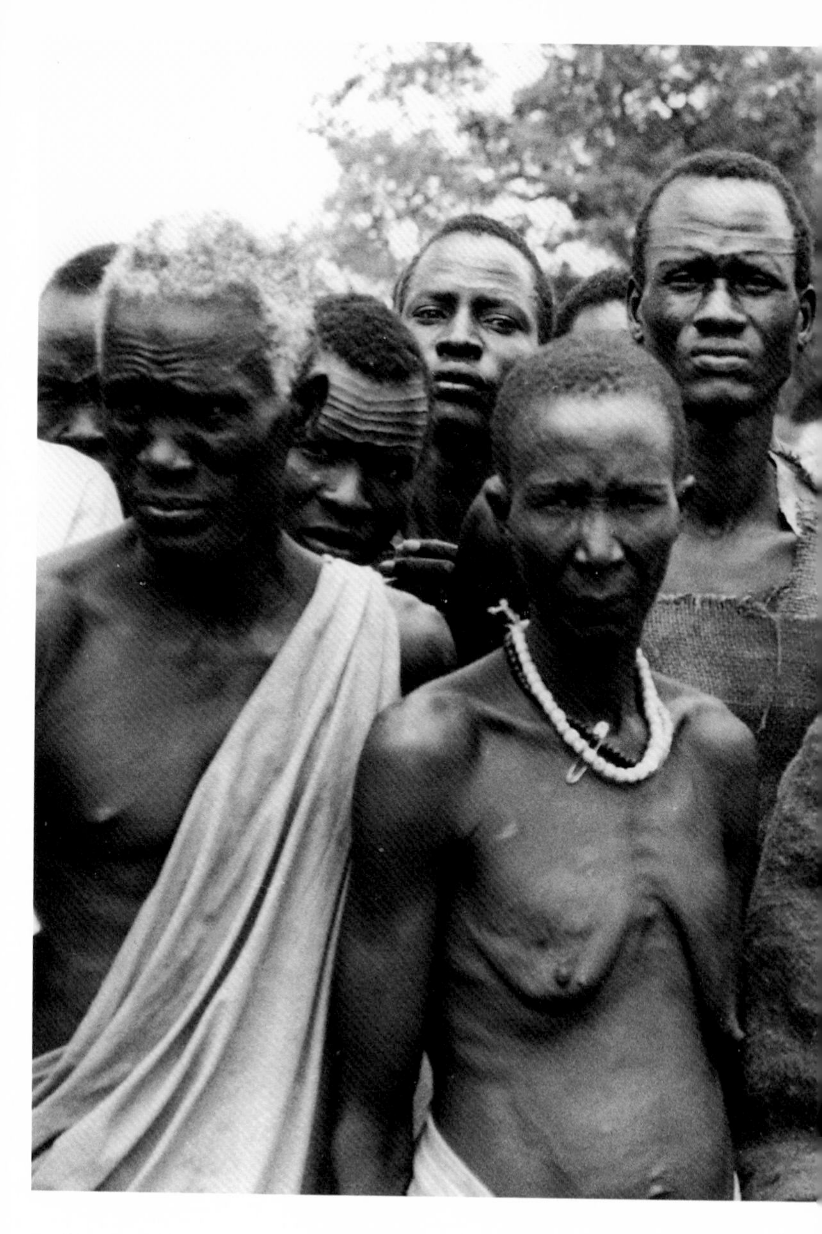

Bieda we współczesnym świecie, świecie bardzo silnie rozwiniętej komunikacji, łączności i mediów, przy bardzo silnie działającym mechanizmie porównywania, wywołuje poczucie strasznej frustracji, beznadziei, rozpaczy i wściekłości.

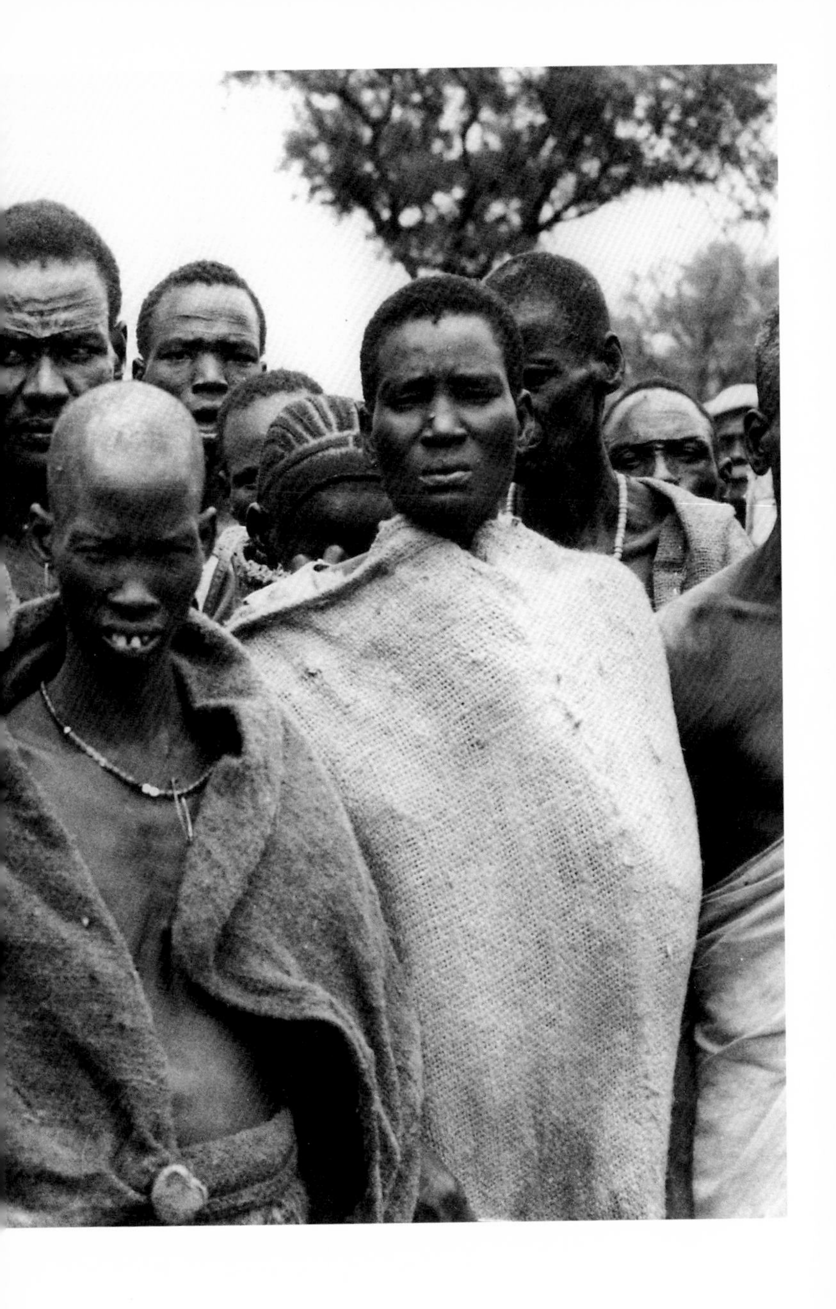

Rośnie analfabetyzm w skali światowej, jest bowiem tak ogromny przyrost ludności, że nie nadąża się z budową szkół i rozwojem oświaty. W wielu miejscach świata epoka Gutenberga jest wyczekiwana, jest marzeniem.

O ile kiedyś Marshall McLuhan powiedział, że świat stanie się globalną wioską, o tyle dzisiaj możemy już powiedzieć, że w każdej wiosce znajdzie miejsce globalny świat.

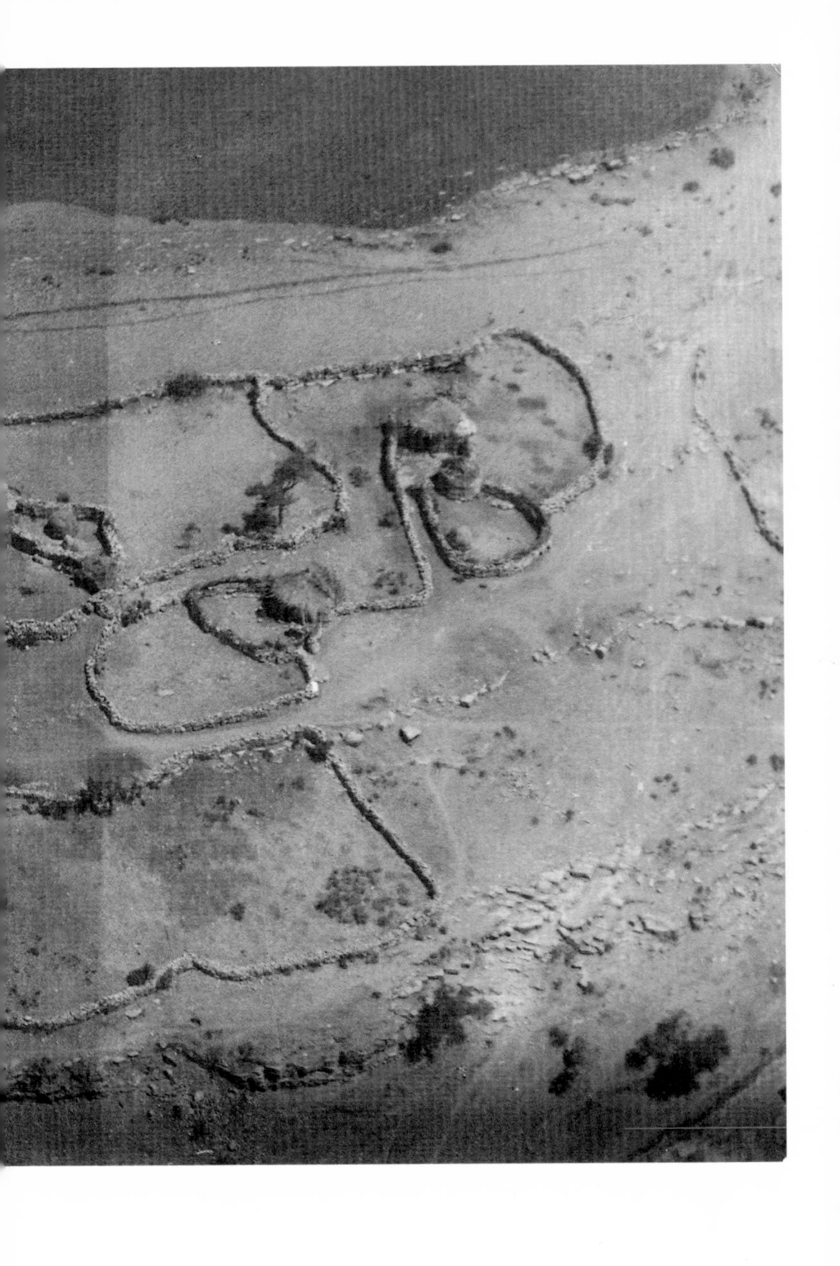

Cywilizacja mediów usiłuje narzucić masowe standardy – dżinsy, coca-colę i tym podobne – czemu przeciwstawiają się kultury, które pozostają przy swoich wartościach narodowo-religijnych.